Italiano parlato

Norman Hilton A.M.C.T., F.I.L.
Former Lecturer in Italian at Bolton Institute of Technology

Editor
P. H. Hargreaves B.A., F.I.L.
Head of the Arts and Languages Department, Croydon Technical College

Longman

Longman Group Limited
London
*Associated companies, branches and representatives
throughout the world*

© N. Hilton and P. H. Hargreaves

First published 1965
New impression 1979

ISBN 0 582 36408 6

Printed in Singapore by
Kua Co., Book-Manufacturers, Pte Ltd.

Foreword

This book is aimed solely at beginners who wish rapidly to acquire enough Italian to understand everyday speech and who wish to express themselves with reasonable fluency.

The vocabulary has been restricted to some 1000 words, and the grammar to the absolute minimum necessary for comprehension. At the end of this course the average student should be able to cope with ordinary situations, and also, if he wishes, pursue his studies with confidence to a higher level.

The lessons in this book have been tried out, modified in the light of experience, and tried out again and again on several hundreds of students in dozens of classes. The author and editor are confident that the content and grading of the work is well within the grasp of the ordinary student.

Acknowledgments

The author would like to express his sincere appreciation and gratitude to those teachers of Italian, colleagues, and the many students who so kindly co-operated in trying out this course in actual classes prior to publication. Special thanks are extended to Mrs. A. M. Watson, Mrs. N. Rafferty and Signorina Luisa Savelli for their help in checking the final manuscript.

N. H.

The drawings are by Hugh Marshall.

Contents

La famiglia Tagliavini

Carlo è un ragazzo italiano. Abita con la famiglia a Castiglione. C'è il padre, il signor Tagliavini; la madre, la signora Tagliavini; Carlo, Riccardo e Lucia. Lucia è la sorella di Carlo e Riccardo. Carlo è il fratello di Lucia e Riccardo è un altro fratello.

Lucia è bionda ma Carlo è bruno come Riccardo.

La famiglia fa la prima colazione.

– Dov'è lo zucchero, cara? domanda il signor Tagliavini.

– Eccolo! risponde la moglie.

Il telefono squilla. Il signor Tagliavini va a rispondere.

– Pronto! Chi parla?

– Sono io... Anna Martini.

– Ah! Buon giorno, signorina, risponde il signor Tagliavini, – come sta?

– Benissimo, grazie, e Lei?... Ma Lei è sempre in ottima salute.

– Oggi siamo tutti in buona salute, grazie. Desidera parlare con Lucia?

– Sì, per piacere.

Il signor Tagliavini dice – Arrivederci! e chiama Lucia al telefono.

La signora Tagliavini dice a Carlo e Riccardo,

– Su! È ora di andare a scuola e siete in ritardo. Sei pronto Carlo?

– No, mamma, risponde Carlo, – sono stanco.

– Tu sei sempre stanco, dice la mamma.

– Andiamo! dice Riccardo, – adesso siamo pronti. Ciao, mamma!

In classe, Carlo non è lo studente più diligente. Preferisce lo sport.

Gender of nouns

MASCULINE NOUNS
il fratello *the brother*
il ragazzo *the boy*
il telefono *the telephone*
il padre *the father*
il signore *the gentleman*
lo sport *the sport*
lo studente *the student*
lo zucchero *the sugar*
il signor Tagliavini

Mr. Tagliavini
(the final 'e' is dropped from
'signore' before a surname)

FEMININE NOUNS
la famiglia *the family*
la scuola *the school*
la signora *the lady*
la signorina *the unmarried lady*
la sorella *the sister*
l'ora *the hour, the time*
la classe *the class*
la madre *the mother*
la moglie *the wife*
la prima colazione *the breakfast*
la salute *the health*
la signora Tagliavini *Mrs. Tagliavini*
la signorina Martini *Miss Martini*

NB In direct address, *Signore, Signora* and *Signorina* are often used without the surname in Italian.

In the above vocabulary lists you will see that the nouns are either MASCULINE or FEMININE. In Italian, ALL nouns (even those with an inanimate or abstract meaning, like *book, smoke, courage, river* etc.) are either MASCULINE or FEMININE. Most nouns end in either -o, -a or -e in the singular.

NOUNS ENDING IN -O are MASCULINE (The only two exceptions you need learn are *la mano* (the hand) and *la radio* (the radio). Both these are feminine.)
NOUNS ENDING IN -A are FEMININE (There are exceptions, but don't worry about these yet.)
NOUNS ENDING IN -E can be either MASCULINE or FEMININE
When the noun ending in -e is a person, the gender is often obvious. In other cases there is usually no clue as to the gender and, in such cases, you should always associate the noun which ends in -e with its correct DEFINITE ARTICLE. The Definite Article is discussed in this lesson.

The definite article

In English, the Definite Article is *the.* In front of a word beginning with a vowel we pronounce it differently but otherwise it never varies.

In Italian, however, the Definite Article changes according to the gender and the beginning of the noun which follows. You can check this in the vocabulary lists in this lesson. The Definite Article is as follows:

il before MASCULINE NOUNS beginning with a consonant (unless the consonant is 'z' or 's' if the 's' is followed by another consonant).

lo before MASCULINE NOUNS beginning with **z** or **s** if the **s** is followed by another consonant.

la before FEMININE NOUNS beginning with a consonant.

l' before all nouns which begin with a vowel, regardless of gender, e.g.
l'uovo the egg (*masc.*) **l'acqua** the water (*fem.*)

Other vocabulary

(This is to help you when you are on your own and the meaning of the text is not clear to you. Refer to it as little as possible. Vocabulary is best learnt by going over the reading passage, preferably aloud, and picturing in your mind what it is all about.)

Adjectives These are words which qualify or describe the noun to which they are applied. The endings of the adjectives in the text may be different from those given below. There is a reason for this, as you will see later.

altro	*other*	diligente	*diligent*
biondo	*blond, fair*	italiano	*Italian*
bruno	*dark*	ottimo	*excellent*
buono	*good*	pronto	*ready (Hello!* on telephone)
caro	*dear*	stanco	*tired*

Other words and expressions

benissimo	*very well*	abita	*lives*	andiamo!	*let's go!*
adesso	*now*	andare	*to go*	arrivederci!	*good-bye!*
come	*like, as*	chiama	*calls*	c'è	*there is*
sempre	*always*	desidera	*wish*	ciao!	*hello! cheerio!*
sì	*yes*	dice	*says*	come sta?	*how are you?*
no	*no*	domanda	*asks*	dov'è?	*where is?*
non	*not*	parla	*speaks*	eccolo!	*here it is!*
più	*more*	parlare	*to speak*	grazie	*thank you*
con	*with*	preferisce	*prefers*	in ritardo	*late*
a	*at, to*	risponde	*replies*	per piacere	*please*
di	*of*	squilla	*rings*	su!	*come along!*
in	*in*	va	*goes*		
e	*and*				
ma	*but*	La famiglia fa la prima colazione.			
oggi	*today*	*The family is having breakfast.*			
tutti	*all*	*Buon giorno* (literally ' Good day ') is used for ' Good			
chi?	*who?*	morning' and 'Good afternoon' until 4 or 5 p.m.			
		After this, *Buona sera* (Good evening) is used.			
		Buona notte (Good night) is only used late at night.			

Pronunciation practice

In Italian words, the stress usually falls on the last syllable but one. When you meet a word where the stress is irregular, you may like to put your own stress mark in pencil as your teacher reads the text.

WRITTEN ACCENTS   In written and printed Italian you will see both the acute (´) and the grave (`) accent. There is no general agreement between writers and printers as to which accent should be used. Only the grave accent is used in this course, and you are advised to do the same. An accent over a final vowel indicates that the stress is on that vowel. Accents are also used in words of one syllable to avoid confusion with other words of the same spelling but different meaning.

The vowel **i** is always pronounced *ee* as in *feel*. There is no sound in Italian like the English *i* in *bit*.

Try these words, pronouncing each vowel even if the vowel is in a group of vowels:

i   io   Maria   Martini   italiano   bionda

famiglia is pronounced *fa-meel-ya*. Try the words below, pronouncing the **gl** sound as you did in **famiglia**:

famiglia   figlio   Tagliavini   moglie   Castiglione

DOUBLE CONSONANTS   Read in English: pe*n n*ib   sli*m m*an fa*t t*urkey

Now read these Italian words, pronouncing the double consonants as you did in the English examples: penna   mamma   matto

Here are some other words containing double consonants taken from the text. Practise these in the same way:

Anna   Riccardo   sorella   fratello   eccolo   squilla   benissimo ottimo

	SUBJECT PRONOUNS
io	*I*
tu	*you* (intimate form – singular)
egli, lui	*he*
ella, lei	*she*
esso	*it* (masculine)
essa	*it* (feminine)
Lei	*you* (polite form – singular)
noi	*we*
voi	*you* (see notes below)
essi	*they* (masculine or mixed gender)
esse	*they* (feminine)
loro	*they* (masculine or feminine)
Loro	*you* (polite form – plural)

Ways of saying 'you'

In Italian, there are several ways of saying 'you'.

tu used when addressing children, animals, relations or intimate friends.

voi besides being the plural of **tu** is used in commerce, speeches, advertisements etc. and it is also used in some parts of Southern Italy in polite address for 'you' (both singular and plural).

Lei (singular) and **Loro** (plural) are both polite ways of saying 'you', and you should always use these forms for addressing persons unless you are on intimate terms. Both **Lei** and **Loro** are written with a capital **L**. Except beginning a sentence, **io** is always written with a small **i**.

Ways of saying 'they'

loro is written with a small **l**, when it means 'they' (persons), except at the beginning of a sentence.

essi and **esse** meaning 'they' are usually used for things.

Ways of saying 'he' and 'she'

lui (*he*) and **lei** (*she*) are the forms normally used in conversation.

egli (*he*) and **ella** (*she*) are rather more formal and are used for written work which is strictly correct in a grammatical sense.

You will have noticed in the text that there are no Italian subject pronouns where you would expect to find them. Subject pronouns are used only rarely in Italian. As a rule, they are only used for stress or to avoid ambiguity.

Here is an irregular verb which must be learnt by heart

(NB For the first few lessons, the Italian subject pronouns will be given so that you can see to which part of the verb they belong.)

ESSERE	TO BE
io sono	*I am*
tu sei	*you are*
lui, lei, esso, essa è ⎫	*he, she, it is*
Lei è ⎭	*you are (polite form)*
noi siamo	*we are*
voi siete	*you are*
essi, esse, loro sono ⎫	*they are*
Loro sono ⎭	*you are (polite form)*

NB *egli* and *ella* take the same form of the verb as *lui* and *lei* but they are not given above as they are not used much in conversation.
Lei and *Loro* (meaning 'you') take the verb in the *third* person.

Esercizi

1 Put the correct form of the DEFINITE ARTICLE in front of the following NOUNS, then give the English meaning:

ragazzo	madre	radio
sorella	mano	zucchero
telefono	moglie	fratello
signora	classe	uovo
padre	studente	acqua

2 Complete the following sentences with the correct form of the verb ESSERE:

a Carlo .... un ragazzo italiano.
b Carlo e Riccardo .... in ritardo.
c Voi .... in Italia.
d Io .... stanco.
e Noi .... in Inghilterra. (Inghilterra = *England*).
f Loro .... in ottima salute.
g Maria .... bionda.
h Tu .... diligente.
i Lei .... italiano.
j Lucia .... la sorella di Carlo.

3 Translate your completed sentences from (2) into English.

4 Reply, in Italian, to the following questions using a complete sentence:

a Chi è Carlo?
b Chi è Lucia?
c È bruna Lucia?
d Dove abita la famiglia Tagliavini? (Dove? = *Where?*)
e Dove abita Lei? (Start off: *Abito* ...)
f Chi va al telefono?
g Chi desidera parlare con Lucia?
h È diligente Carlo?
i Come sta il signor Tagliavini?
j Come sta Lei?

5 Translate the following sentences into English:

a Buon giorno, come sta? Benissimo grazie, e Lei?
b Oggi sono in buona salute.
c Dov'è la scuola?
d Lo studente non è diligente.
e Lucia è bionda ma Anna è bruna.
f Carlo è sempre in ritardo.
g La prima colazione è ottima.
h Siamo a scuola.
i La lezione è finita. Andiamo! Buona sera a tutti.
j È ora di andare a letto. Buona notte.   (il letto = *the bed*)

A Castiglione

Carlo ha uno zio in Inghilterra e due zii in America. Lo zio in Inghilterra è il fratello della signora Tagliavini ma gli zii in America sono i fratelli del signor Tagliavini.

Gli Americani non vengono spesso a Castiglione ma vengono qualche volta. Vengono anche Francesi, Inglesi e Tedeschi a vedere il vecchio castello al centro della città.

La vita a Castiglione è molto tranquilla. Gli studenti non hanno molto da fare quando le lezioni sono finite e sono molto contenti quando vengono gli stranieri perchè possono parlare le lingue straniere che hanno imparato a scuola.

È sabato. Il sole è molto forte e fa caldo.

– Ho cento lire, quanti soldi hai tu? domanda Carlo.

– Ho cento lire in tasca e duecento a casa, risponde Riccardo.

– Bene, dice Carlo, – in tutto abbiamo quattrocento lire. Andiamo al bar a prendere una limonata.

– Buon giorno, ragazzi, dice il padrone, – fa bello eh? Avete sete?

– Sì, risponde Carlo. – Due limonate, per favore.

– E poi andiamo fuori al fresco sotto gli ombrelloni, dice Riccardo.

Ci sono alcune persone nel bar. Cinque o sei sono di Castiglione. Ci sono anche due turisti.

– Hanno visto il castello? domanda il padrone.

– Sì, stamani, risponde uno dei turisti, – è molto antico, non è vero?

– Lei ha un bel bar qui, dice l'altro turista.

– Grazie mille, risponde il padrone. – Lei è molto gentile.

Plural of nouns

MASCULINE SINGULAR	MASCULINE PLURAL
il fratello *the brother*	i fratelli *the brothers*
il ragazzo *the boy*	i ragazzi *the boys*
il Tedesco *the German*	i Tedeschi *the Germans*
lo straniero *the foreigner*	gli stranieri *the foreigners*
lo studente *the student*	gli studenti *the students*
lo zio *the uncle*	gli zii *the uncles*
l'Americano *the American*	gli Americani *the Americans*
l'Inglese *the Englishman*	gli Inglesi *the Englishmen*
l'ombrellone *the umbrella*	gli ombrelloni *the umbrellas*
il bar *the bar*	i bar *the bars*

To make a noun plural in English, we usually just add an 's'. In Italian, however, the final vowel of the noun usually changes. From the list of MASCULINE NOUNS above you will see that:

MASCULINE NOUNS ending in **-o** or **-e** change the final vowel to **-i**.
FOREIGN NOUNS like **bar** do not change in the plural.

FEMININE SINGULAR	FEMININE PLURAL
l'altra *the other*	le altre *the others*
la classe *the class*	le classi *the classes*
la limonata *the lemonade*	le limonate *the lemonades*
la lingua *the language*	le lingue *the languages*
la lingua *the tongue*	le lingue *the tongues*
la madre *the mother*	le madri *the mothers*

FEMININE NOUNS ending in **-a** change the final vowel to **-e**.
FEMININE NOUNS ending in **-e** change the final vowel to **-i**.

NB *L'ombrellone* is the large umbrella, usually coloured, used as a sunshade.
The ordinary umbrella used in the rain is *l'ombrello*.

The definite article (*continued*)

When a noun preceded by the Definite Article is changed from SINGULAR to PLURAL, it is also necessary to change the Definite Article. If you look again at the lists of singular and plural nouns given in this lesson, you will see that:

FOR MASCULINE NOUNS   **il** becomes **i** in the plural
lo and **l'** become **gli** in the plural
FOR FEMININE NOUNS both **la** and **l'** become **le** in the plural

Altro vocabolario

NOMI MASCHILI
il castello *the castle*
il centro *the centre*
il Francese *the Frenchman*
il padrone *the owner*
il sabato *Saturday*
il sole *the sun*

NOMI FEMMINILI
la casa *the house*
(a casa *at home*)
* la città *the town, the city*
l'Inghilterra *England*
la lezione *the lesson*
la sete *the thirst*
la tasca *the pocket*
la vita *the life*

* Nouns ending in an accented vowel do not change their ending in the plural
e.g. *la città – le città*.

ADJECTIVES (aggettivi)
contento *happy*
forte *strong*
gentile *kind*
straniero *foreign*
vecchio *old*

NUMERALS (numerali)

1 uno	6 sei	100 cento
2 due	7 sette	1,000 mille
3 tre	8 otto	
4 quattro	9 nove	
5 cinque	10 dieci	

Other words and expressions to help you with the text

alcune *a few*
bene *well*
che *that, which*
fuori *outside*
molto *very, much, a lot*
molto da fare *a lot to do*
per *for*
perchè? *why?*
perchè *because*
poi *then*
quando *when*
qui *here*
sotto *underneath*
spesso *often*
stamani *this morning*

imparato *learned*
possono *can, are able to (they)*
prendere *to take, to get*
vedere *to see*
vengono *come (they)*
visto *seen*
al fresco *in the fresh air*
ci sono *there are*
fa bello *it is nice (weather)*
fa caldo *it is hot (weather)*
non è vero *it isn't true*
non è vero? *isn't it true? isn't it?*
per favore *please*
qualche volta *sometimes*
quanti soldi? *how much money?*

Here is another irregular verb which must be learnt by heart

AVERE	TO HAVE
io ho	*I have*
tu hai	*you have*
lui, lei, esso, essa ha⎫	*he, she, it has*
Lei ha⎭	*you have* (polite form)
noi abbiamo	*we have*
voi avete	*you have*
essi, esse, loro hanno⎫	*they have*
Loro hanno⎭	*you have* (polite form)

Pronunciation practice (esercizio di pronuncia)

a   is pronounced like *a* in *father*.
Try these words, taking good care to roll the **r**:

padre   madre   Carlo   cara   limonata

Sometimes the **a** sound is shorter like *a* in *bad*, particularly in front of a double consonant or under an accent. Try these:

mamma   classe   città

e   has two sounds:

The open **e** as in *bed* – the commonest example in Italian being **è** (which means *is*).
The close **e** which is rather like the *e* in *they*, but it should not be finished off with an *ee* sound as we tend to do in English.
A common example of the close **e** sound in Italian is **e** without an accent, which means *and*.

o   has two sounds:

The open **o** as in *spot*.
The close **o** as in *robe*.

NB There is no general rule as to when you should use open and close sounds of **e** and **o**, and, as they are pronounced differently in different parts of Italy, you are advised not to worry about learning any rules about the two sounds. You should listen as often as you can to good Italian, well spoken, and try to imitate it.

u   The **u** sound is very easy and is like *oo* in *moon*. Practise these:

studente   tutti   lui   uno   due

Before another vowel, the **u** sound is very weak and is pronounced like our English *w*:

uovo   fuori   lingua   scuola   qualche

c   in front of **a**, **o** and **u** is pronounced like *c* in *cat*:

   caldo   caro   colazione   cuore

   in front of **e** and **i** is pronounced like *ch* in *cherry*:

   cento   piacere   centro   circolo   cinque   ciao

   To make the **c** sound hard, as in *cat*, before **e** and **i** an **h** is inserted between the **c** and the vowel:

   che   zucchero   qualche   chi   vecchio   Tedeschi

g   in front of **a**, **o** and **u** is pronounced like *g* in *gag*:

   gatto   gonna   gusto

   in front of **e** and **i** is pronounced like *j* in *jam*:

   Geraldo   geranio   giusto   giglio

   To make the **g** sound hard as in *gag*, in front of **e** and **i** an **h** is inserted between the **g** and the vowel:

   margherita   ghiaccio

h   in the middle of a word usually has some special function as described above. There are very few words beginning with **h** in Italian and in these cases the **h** is NEVER sounded:

   ho   hai   ha   hanno

Esercizi

1   Change the following NOUNS, which are in the SINGULAR, into the PLURAL and put the correct plural form of the Definite Article in front of each:

il ragazzo	l'Americano	l'ombrellone
lo studente	il telefono	il bar
la limonata	la sorella	la città
lo zio	la madre	il fratello
il castello	il signore	lo sport

2   Complete the following sentences with the correct form of the verb AVERE:

a   Io .... due fratelli.
b   Maria .... cento lire.
c   Noi .... una casa al centro della città.
d   Tu .... un padre diligente.
e   Voi .... il telefono a casa.
f   I ragazzi .... molto zucchero.
g   Lei .... una bella moglie.
h   Loro .... uno zio in America.

i   Lui .... un bel bar in Italia.

j   Oggi, Loro .... molto da fare.

3   Translate your answers from Question 2 into English
     (un bel bar = *a nice bar*)

4   Reply to the following questions, using a complete sentence in Italian:

a   Quanti soldi ha Carlo?

b   Come è la vita a Castiglione?   (Com'è *or* Come è = *How is*)

c   Quanti fratelli ha Lei?

d   Dov'è il vecchio castello?

e   Perchè desidera una limonata Carlo?

f   Quanti turisti ci sono nel bar?

g   Ha molto da fare Lei a casa?

h   Dove sono gli ombrelloni?

i   Ha il telefono Lei?

j   Abbiamo un bar a scuola?

Il postino

Il postino bussa alla porta. Poi, suona il campanello e aspetta. Dopo qualche momento c'è un rumore di passi e arriva la signora Tagliavini.

– Ah, buon giorno! – dice. – È molto tempo che aspetta?

– Ma no, signora, solo due minuti e non ho fretta oggi. Non ho molte lettere da consegnare.

– Ha qualche lettera per me?

– Sì, signora, ne ho due per Lei, cinque per suo marito, un pacco per Lucia e una cartolina illustrata per Carlo. Oggi, non ho niente per Riccardo.

– Grazie mille! – dice la signora.

– Prego! risponde il postino. – Arrivederla!

La signora Tagliavini ritorna in cucina e comincia a lavare i piatti. Mentre lava i piatti ascolta la radio.

– Ed ora presentiamo un programma di musica da ballo! – dice l'annunciatore.

L'orchestra suona una canzone napoletana e la signora Tagliavini comincia a cantare.

– Come canti bene! – dice il signor Tagliavini che entra in cucina in quel momento.

– Grazie per il complimento, – risponde sua moglie. – Ma come mai... non lavori oggi?

– Sì, ma oggi vado a Ravenna e aspetto un amico.

L'orchestra continua a suonare ed i Tagliavini cantano insieme.

Vocabolario

NOMI MASCHILI

l'amico   *the friend*
il campanello   *the door-bell*
il complimento   *the compliment*
il marito   *the husband*
il minuto   *the minute*
il momento   *the moment*
il pacco   *the parcel*
il passo   *the footstep*
il piatto   *the dish*
il postino   *the postman*
il programma   *the programme*
il tempo   *the time, the weather*
l'ufficio   *the office*
l'annunciatore   *the announcer*
il rumore   *the noise*

NOMI FEMMINILI

la cartolina illustrata   *the picture-postcard*
la cucina   *the kitchen*
la fretta   *the haste*
la lettera   *the letter*
la musica   *the music*
la musica da ballo   *the dance music*
l'orchestra   *the orchestra*
la porta   *the door*
la canzone   *the song*
la canzone napoletana   *the Neapolitan song*
la moglie   *the wife*

Altro vocabolario

come mai?   *how is it?*
da consegnare   *to deliver*
in quel momento   *at that moment*
insieme   *together*
lavare i piatti   *to wash up*
mentre   *while, whilst*
niente   *nothing*
arrivederla!   *good-bye!* (polite way of saying *good-bye* to one person)

che   *who, that, which*
dopo   *after*
ora   *now*
per   *for*
poi   *then, afterwards*
qualche   *some, a few, one or two,* (in a question: *any*)
solo   *only, alone*
vado   *I go, I am going*

ne   (meaning *of it, of them* etc.) usually refers to something just mentioned e.g.
Non ho una penna. Ecco! io *ne* ho due.
I haven't a pen. Here! I have two (of them).

prego!   In English, thanks are often acknowledged with just a nod or smile. In Italian, some spoken reply is expected. **Prego!** (literally: *I beg* or *I pray*) is used very often. Another common reply is:
Non c'è di che.   *There is nothing to thank me for.*

qualche   A noun following **qualche** is always in the singular e.g.
qualche giorno fa
a few days ago

In questa bottiglia c'è solo qualche goccia di vino.
In this bottle there are only a few drops of wine.

NB The verb too is in the singular i.e. *c'è* NOT *ci sono*.

suo, sua (meaning *his, her*) will be discussed in detail later.
e (meaning *and*) and **a** (meaning *to*) are often written and spoken as **ed** and **ad** before words beginning with a vowel.

Contraction of preposition with definite article

Here is a short list of prepositions, some of which you have already met:

di	*of*	**da**	*from, by*
a	*at, to*	**su**	*on, upon, up*
in	*in, into*		

When one of the prepositions given above is followed by the Definite Article, it contracts with it to make one word. For example, to say *the plate of the husband* we must say: il piatto **del** marito. (We cannot use *di* and *il* together.)

In Italian, there is no way of indicating possession by using an apostrophe and *s* as we do in English. *The husband's plate* is also translated by: il piatto **del** marito.

The following table gives the one word contraction of the prepositions given down the side of the table with the Definite Article given across the top:

	il	i	lo	gli	la	le	l'
di	del	dei	dello	degli	della	delle	dell'
a	al	ai	allo	agli	alla	alle	all'
in	nel	nei	nello	negli	nella	nelle	nell'
da	dal	dai	dallo	dagli	dalla	dalle	dall'
su	sul	sui	sullo	sugli	sulla	sulle	sull'

In modern Italian, the preposition **con** (*with*) sometimes contracts with **il** and **i** to give **col** and **coi** but **con** does not contract with other definite articles. **Con il** and **con i** are quite correct, however.

Esercizio di pronuncia

s If **s** starts a word and is followed by a vowel, the **s** is soft as in *sand* e.g.

sabato   sera   sigaretta   solo   su

A double **s** has the same sound but is stressed like all double consonants e.g.

passo   sasso   basso

In most parts of Italy, an **s** between two vowels has a harder sound as in *rose* and *nose*: e.g.

casa   naso   mese

It also has the sound as in *rose* when it is followed by one of the following consonants: **b, d, g, l, m, n, r, v**   e.g.

sbaglio   sguardo   snello   sveglia

When **s** is followed by consonants other than those just given it is soft as in *sand*.

When **s** is followed by **ce** or **ci**, the **sc** is pronounced like *sh* in *ship* e.g.

scegliere   scendere   scienza

When **sc** is followed by **a, o** or **u** or by a consonant (including **h**), it is pronounced like *sk* in *skirt* e.g.

scarpa   scopa   scuola   scrivere   scheletro

Do not try to memorise these rules of pronunciation. Listen as much as you can to good Italian, well spoken, and try to imitate it.

Regular verbs (verbi regolari)

You have already learnt two verbs – AVERE and ESSERE. These were called irregular because they have their own special forms. Practically all the verbs in the reading passage in this lesson are REGULAR.

Here are the REGULAR VERBS used in the passage:

bussare	*to knock*	ascoltare	*to listen, to listen to*
cantare	*to sing*	aspettare	*to wait, to wait for*
continuare	*to continue*	cominciare	*to start, to commence*
entrare	*to enter*	consegnare	*to consign, to deliver*
lavare	*to wash*	presentare	*to present, to introduce*
lavorare	*to work*	suonare	*to sound, to play* (an
ritornare	*to return*		instrument)
			to ring (a bell etc.)

This form of the verb is called the INFINITIVE. It is the form usually given in dictionaries.

When the action described by the verb is performed by a particular person or by persons (i.e. the SUBJECT) the ending of the verb changes accordingly. In English, there is very little modification of the verb ending, although we have, for example – *I wash, he washes*. In Italian there are six variations of the ending.

All the Italian verbs given above have their Infinitive ending in -are. There is a whole class of Italian verbs with the same ending in the Infinitive. If we chop off the ending -are, we are left with what is called the 'stem'. In regular verbs, this stem never changes, but six different endings are tagged on to the stem according to the SUBJECT (i.e. the person or persons doing the action). You will see this more clearly by looking at the model verb **cantare** given here in full in the present tense:

CANTARE	TO SING
io cant o	*I sing, I do sing, I am singing*
tu cant i	*you sing, you do sing, you are singing*
lui, lei, esso, essa cant a	etc.
Lei cant a	
noi cant iamo	
voi cant ate	
essi, esse, loro cant ano	
Loro cant ano	

It is important to remember that there are three ways of expressing the Present Tense in English i.e. *I sing, I do sing, I am singing*. The one form given above can be used for all three of the English forms.

Eight endings are given above but only six need be learnt if you remember that the ending for **Lei** (*you*) is the same as the ending for *he, she* and *it*, and that the ending for **Loro** (*you* – plural) is the same as for *they*. Only the six essential endings will be given in the lessons which follow.

If you remember the endings of the verb **cantare** you will be able to conjugate (i.e. write or say in full) other regular Italian verbs which have their Infinitive ending in -are.

Esercizi

Che cosa? Che? and **Cosa?** all mean *What?*

1 Reply in Italian to the following questions:
(*Rispondete in italiano alle seguenti domande*)
a Chi arriva quando il postino suona il campanello?
b Quanto tempo aspetta il postino?
c Perchè non ha fretta il postino?
d Quante lettere ci sono per il signor Tagliavini?
e Che cosa c'è per Lucia?
f Dove lava i piatti la signora Tagliavini?

g   Che dice l'annunciatore?
h   Cosa suona l'orchestra?
i   Chi entra in cucina mentre la signora canta?
j   Dove lavora Lei?

2   In each of the following sentences, the verb given in brackets is in the
INFINITIVE. Replace the Infinitive by the correct form of the verb in
the PRESENT TENSE.

a   Il postino (consegnare) le lettere alla signora Tagliavini.
b   I ragazzi (bussare) alla porta.
c   Io (aspettare) una signorina.
d   Lucia (continuare) a cantare.
e   La signora (lavare) i piatti dopo la prima colazione.
f   Tu (suonare) il pianoforte molto bene.
g   Voi (lavorare) in ufficio.
h   Lucia e Carlo (cantare) insieme.
i   (Ascoltare) la radio a casa Lei?
j   Riccardo ed io (aspettare) il padrone.

3   Translate the sentences in Exercise 2 into English.
    (*Traducete in inglese le frasi dell'esercizio 2*)

4   Here are two simple sums:

$$2 + 7 = 9 \qquad 7 - 2 = 5$$

due più sette fa nove   sette meno due fa cinque
(*two plus seven makes nine*)   (*seven minus two makes five*)

Do the following sums in Italian. If you write your answers, write the
numerals in full:

$$1 + 9 = \qquad\qquad 10 - 1 =$$
$$3 + 6 = \qquad\qquad 9 - 2 =$$
$$2 + 5 = \qquad\qquad 5 - 3 =$$
$$2 + 8 = \qquad\qquad 8 - 4 =$$
$$7 + 0 = \qquad\qquad 6 - 3 =$$

NB 0 = zero

5   In the following sentences, complete the contraction of the preposition
with the Definite Article, then translate the sentences into English:

a   Il castello è (a . . . il) centro (di . . . la) città.
b   La signora canta (con . . . il) marito.
c   Gli studenti sono (in . . . la) classe (di . . . il) professore.
d   Le lettere sono consegnate a casa (da . . . i) postini.
e   (Su . . . la) lettera c'è un francobollo.
f   (In . . . la) tasca (di . . . il) ragazzo ci sono duecento lire.

g Il padrone (di . . . la) casa è italiano.
h Il rumore (di . . . i) passi è molto forte.
i Le lettere sono (su . . . il) piatto.
j La musica è suonata (da . . . l') orchestra.

consegnate = *delivered*
suonata = *played*
un francobollo = *a postage stamp*
un professore = *a professor or teacher*

(A teacher with any kind of degree or diploma in Italy is usually addressed as *professore* if male and as *professoressa* if female.)

In autobus a Ravenna

Lucia e sua madre sono in cucina. Lucia scrive e la signora legge il giornale.
– Cosa scrivi? chiede la signora Tagliavini a Lucia.
– Vado in città a fare delle spese, risponde Lucia. – Non ho molto da spendere, quindi scrivo una lista delle cose che desidero comprare.
Lucia mette sulla lista... un paio di calze di nailon, uno scialle di seta pura color vino, un paio di scarpe dello stesso colore, uno specchio, una dozzina di fazzoletti bianchi per Riccardo, un pettine rosso per Carlo... eccetera.
Lucia mette la lista in una piccola borsetta di pelle marrone.
– Non vedo Anna da alcuni giorni, osserva la signora. – Come sta?
– Sta molto bene, mamma, risponde Lucia, – oggi mi accompagna in città.
Lucia mette il nuovo cappellino giallo, prende la borsetta e dice:
– Adesso vado, mamma. Anna mi aspetta alla stazione. Ciao!
Lucia cammina lungo la strada che porta alla stazione dove incontra la sua amica.
– Andiamo in treno o in autobus? chiede Anna.
– Non andiamo in treno, risponde Lucia, – il viaggio è più piacevole in autobus.

Le due amiche prendono l'autobus e chiedono due biglietti d'andata e ritorno. Dopo meno d'un'ora arrivano al centro di Ravenna e scendono dall'autobus. Innanzi tutto decidono di camminare lungo la strada principale per vedere tutte le belle cose nelle vetrine.

The indefinite article

In English, the Indefinite Article used before a noun is *a* unless the noun begins with a vowel, in which case we usually use *an*. These are the two only variations in English but there are several variations in Italian as follows:

un is used in front of all MASCULINE nouns except those beginning with **z** or with **s** if the **s** is followed by a consonant.

uno is used in front of all MASCULINE nouns beginning with **z** or with **s** if the **s** is followed by a consonant.

una is used in front of all FEMININE nouns except those beginning with a vowel.

un' is used in front of all FEMININE nouns beginning with a vowel.

NOMI MASCHILI		NOMI FEMMINILI	
un autobus	*a bus*	una borsetta	*a handbag*
un giornale	*a newspaper*	una cosa	*a thing*
un pettine	*a comb*	una dozzina	*a dozen*
un treno	*a train*	una lista	*a list*
uno scialle	*a shawl*	un'amica	*a friend* (female)
uno specchio	*a mirror*	un'arancia	*an orange*
uno zero	*a nought*	un'ora	*an hour*
uno zio	*an uncle*		

Colours (colori)

arancione	*orange*	grigio	*grey*
azzurro	*blue*	marrone	*brown*
bianco	*white*	nero	*black*
color vino	*maroon, wine colour*	rosso	*red*
giallo	*yellow*	verde	*green*

NB The plural forms of *bianco* are *bianchi* (m.) and *bianche* (f.). Colours are also discussed under the heading ADJECTIVES in this lesson.

Adjectives (aggettivi)

An ADJECTIVE is a word used with a noun to describe or define the noun more fully. For example:

una ragazza   *a girl*
una bella ragazza   *a beautiful girl*
una ragazza bionda   *a blonde girl*
una ragazza italiana   *an Italian girl*

   (*bella*, *bionda* and *italiana* are adjectives)

Position of the adjective

In English, the adjective usually comes before the noun it qualifies, but in Italian it usually follows the noun except for a few adjectives in common use which usually come in front of the noun, such as the following:

questo	*this*	* grande	*big, great*
* quello	*that*	piccolo	*small*
* bello	*beautiful, handsome, fine*	giovane	*young*
brutto	*ugly*	vecchio	*old*
* buono	*good*	lungo	*long*
cattivo	*bad*	breve	*short, brief*
		nuovo	*new*
		antico	*ancient*

(Adjectives marked here (*) have irregular forms and are studied in detail later.)

Adjectives of colour and nationality always follow the noun e.g.

una casa bianca   *a white house*   un professore tedesco   *a German professor*

Adjectives modified by **molto** and **poco** etc. always follow the noun e.g.

un vino molto buono   un vino poco buono   un vino abbastanza buono
a very good wine   *a not so good wine*   *a fairly good wine*

The position of the adjective sometimes changes from normal to indicate special stress on the adjective.

Some adjectives have different meanings according to their position e.g.

un uomo povero   *a poor (not rich) man*   un grand'uomo   *a great man*
un povero uomo   *a poor (unfortunate) man*   un uomo grande   *a large man*

Agreement of the adjective

Italian adjectives can be divided into two types, one type having four endings and the other having only two:

	SINGULAR		PLURAL	
	Masculine	*Feminine*	*Masculine*	*Feminine*
TYPE 1	italiano	italiana	italiani	italiane
TYPE 2	diligente	diligente	diligenti	diligenti

In Italian, all adjectives must agree in gender (masculine or feminine) and in number (singular or plural) with the noun they qualify. This does not mean that the adjective must necessarily have the same ending as the noun. The two examples which follow are both correct:

due ragazze italiane   due ragazze diligenti

When an adjective is used to describe two or more nouns of different gender, the masculine plural form of the adjective is used e.g.

un ragazzo e una ragazza italiani   *an Italian boy and girl*

When an adjective is split from its noun, by a verb for example, it must still agree in gender and number with the noun it qualifies e.g.

Questi ragazzi sono italiani.   *These boys are Italian.*

When colours are used as adjectives most of them are subject to the same rule with regard to agreement e.g.

un treno rosso   una borsetta rossa
due treni rossi   due borsette rosse

The positioning of the adjective sometimes affects the form of the Definite Article, as it is the beginning of the word which follows the article which decides the correct form of the article e.g.

il colore	*but*	lo stesso colore
lo zio	*but*	il vecchio zio
l'amica	*but*	la giovane amica

Vocabolario

NOMI MASCHILI
un biglietto *a ticket, a note*
un biglietto d'andata e ritorno
  a return ticket
un cappellino *a small hat, a lady's
  hat*

NOMI FEMMINILI
una calza *a stocking*
la pelle *the skin, soft leather*
una scarpa *a shoe*
la seta *silk*
una stazione *a station*

un cappello   *a hat*
un colore   *a colour*
un fazzoletto   *a handkerchief*
il nailon   *nylon*
un paio   *a pair*
un viaggio   *a journey, a voyage*

una strada   *a road*
una vetrina   *a shop window*

ALTRI AGGETTIVI
piacevole   *pleasant*
principale   *principal*
puro   *pure*
stesso   *same*

ALTRI VERBI DELLA CLASSE -ARE
accompagnare   *to accompany*
arrivare   *to arrive*
camminare   *to walk*
comprare   *to buy*
desiderare   *to wish, to desire*
incontrare   *to meet*
osservare   *to observe*
portare   *to bring, to carry*
         to wear, to lead

Altro vocabolario

mi   *me*
quindi   *hence, therefore*
meno, meno di   *less, less than*
innanzi tutto   *first of all*

tutti (*m.*) tutte (*f.*)   *all, every,*
   everyone
lungo la strada   *along the road*
fare delle spese   *to do some shopping*
vado   *I go, I am going*

Non vedo Anna da alcuni giorni.
I haven't seen Anna for a few days.
(Note use of Present Tense in the Italian version)

Verbs having their infinitive ending in -ere

In the last lesson, you learnt to conjugate the Present Tense of a class of
Italian verbs having their Infinitive ending in **-are**. There is a second
class of verbs which have their Infinitive ending in **-ere**. The verb
vendere, given below in the Present Tense, has the typical endings of the
other verbs in this class. A space has been left between the 'stem' and the
endings.

> VENDERE (*to sell*)
> vend o   *I sell, I do sell, I am selling*
> vend i   etc.
> vend e
> vend iamo
> vend ete
> vend ono

You will notice that these endings are slightly different from those of the
first class of verbs you learnt.

Other regular verbs having their Infinitive ending in **-ere** and which appear in the reading passage in this lesson are as follows:

chiedere	*to ask, to ask for*	rispondere	*to reply*
decidere	*to decide*	scendere	*to descend, to get down*
leggere	*to read*	scrivere	*to write*
mettere	*to put, to put on*	spendere	*to spend*
prendere	*to take, to catch*	vedere	*to see*

Esercizi

1 Reply to the following questions:
  (*Rispondete alle seguenti domande*)

a Chi è Anna?
b Dove sono Lucia e sua madre?
c Che cosa legge la madre di Lucia?
d Cosa scrive Lucia?
e Di che colore (what colour) è il cappellino di Lucia?
f Di che colore è il pettine per Carlo?
g Di che colore sono i fazzoletti?
h Chi accompagna Lucia in città?
i Dove aspetta Anna?
j Cosa chiedono le due amiche in autobus?

2 Put the correct form of the INDEFINITE ARTICLE (**un, uno, una** or **un'**) in front of the following nouns:

treno	viaggio	Americano
autobus	specchio	colore
scarpa	arancia	calza
zio	stazione	città
amica	biglietto	zero

3 Complete the following, using both ADJECTIVES with each of the three nouns given on the right. Use the correct form of the ADJECTIVE and put each ADJECTIVE in the correct position: e.g. il **piccolo** ragazzo **francese**

a piccolo, francese   1 il castello
                             2 la ragazza
                             3 le scarpe

b giovane, americano   1 la signora
                             2 il padre
                             3 i ragazzi

c nuovo, rosso   1 il telefono
                             2 la casa
                             3 le borsette

4   In each of the following sentences the verb given in brackets is in the
    INFINITIVE. Replace the INFINITIVE by the correct form of the verb
    in the PRESENT TENSE:

a   Io (scrivere) una lettera a un'amica.
b   Il professore (mettere) il giornale sul pianoforte.
c   Noi (decidere) di andare in città.
d   Tu (prendere) la strada che porta al bar.
e   Lo zio (leggere) e poi (scrivere).
f   Le due amiche (spendere) tutto il denaro (money) che hanno in tasca.
g   Voi (vendere) questa casa?
h   Gli studenti (vedere) la nuova scuola.
i   Il padrone di questo bar (vendere) la limonata.
j   Lei (prendere) l'autobus ma io (prendere) il treno.

5   When you have completed the sentences in Exercise 4, translate the
    sentences into English.

Il compleanno di Lucia

La signora Tagliavini apre le finestre per lasciare entrare l'aria fresca e apparecchia la tavola per la prima colazione. Di solito, la prima colazione in Italia è molto semplice; un panino con burro e marmellata, del caffè latte e, qualche volta, della frutta fresca.

La signora stende sulla tavola una tovaglia di lino e mette a ogni posto un tovagliolo, un coltello, una forchetta, un cucchiaio, una tazza, un piattino ed un cucchiaino. In mezzo alla tavola mette un vaso di fiori.

Lucia è allegra perchè oggi ha sedici anni. Entra in cucina e bacia la mamma sulla fronte.

– Buon giorno, cara, dice la signora, – e buon compleanno!

Quante cose per Lucia! Delle cartoline, dei pacchi e qualche telegramma. Il pacco più piccolo porta dei francobolli inglesi e qualche parola inglese che Lucia non capisce. Ogni anno la zia di Londra spedisce un regalo speciale.

– Non apro ancora i pacchi, mamma. Posso avere un po' di caffè mentre aspettiamo gli altri?

– Non preferisci una tazza di tè?

– No, grazie. Del caffè, per piacere.

Poco dopo scende il signor Tagliavini. Poi, compare Riccardo e, finalmente, Carlo. Carlo è sempre l'ultimo. Tutti augurano a Lucia un buon compleanno. Lucia finisce il caffè ed apre i pacchi e le buste. Il regalo dei genitori è una macchina fotografica e delle pellicole. Negli altri pacchi Lucia trova una penna stilografica, una penna a sfera, un orologio da polso ed un portacipria.

– Sono molto fortunata, dice Lucia e ringrazia tutti per i regali.

– Dove andiamo stasera? domanda il babbo. – Al cinema?

– No, risponde la mamma. – Prima pranziamo in un ristorante e poi andiamo a teatro.

VERBI IN -ARE

apparecchiare   *to prepare, to lay* (table, *etc.*)
augurare   *to wish* (*Happy Birthday, etc.*)
baciare   *to kiss*
lasciare   *to allow, to leave* (*behind*)
portare   *to carry, to bear, to wear, to bring*
pranzare   *to dine, to have dinner*
ringraziare   *to thank*
trovare   *to find*

VERBO IN -ERE
stendere   *to spread*

Two classes of verbs (having their Infinite endings in -**are** and -**ere**) have already been studied. The third and last class has its Infinitive endings in -**ire**. This class can be sub-divided into two groups. Given below are two model verbs, one from each group:

Group A

APRIRE (*to open*)
apr o   *I open, I do open, I am opening*
apr i   etc.
apr e
apr iamo
apr ite
apr ono

Group B

CAPIRE (*to understand*)
cap **isc** o   *I understand, I do under-*
cap **isc** i   *stand, I am understand-*
cap **isc** e   *ing*
cap iamo   etc.
cap ite
cap **isc** ono

You will see that the actual endings for both groups are the same but in Group B all forms, except the *noi* and *voi* form, have -**isc**- between the stem and the ending. Here are some other verbs which have their Infinite endings in -**ire**; most of them occur in the reading passage:

Group A (conjugated like APRIRE)

comparire   *to appear*
dormire   *to sleep*
seguire   *to follow*
sentire   *to hear, to feel*

Group B (conjugated like CAPIRE)

finire   *to finish*
preferire   *to prefer*
pulire   *to clean*
spedire   *to send, to despatch*

Vocabolario

NOMI MASCHILI
un anno   *a year*
un cinema   *a cinema*
un coltello   *a knife*
un cucchiaino   *a tea- or coffeespoon*
un cucchiaio   *a spoon*
un fiore   *a flower*
un francobollo   *a (postage) stamp*
un genitore   *a parent*
un orologio   *a watch*
   (da polso)   (*wrist-*)
un panino   *a (bread) roll*
un piattino   *a small plate, a saucer*
un portacipria   *a powder compact*
un posto   *a place*
un regalo   *a present*
un ristorante   *a restaurant*

NOMI FEMMINILI
una busta   *an envelope*
una finestra   *a window*
una forchetta   *a fork*
una macchina fotografica   *a camera*
una parola   *a word*
una pellicola   *a film* (for camera)
una penna   *a pen*
una penna a sfera   *a ball-point pen*
una penna stilografica   *a fountain pen*
una tavola   *a table*
una tazza   *a cup*
una tovaglia   *a table cloth*
una zia   *an aunt*
l'aria   *the air*
la fronte   *the forehead*

un teatro   *a theatre*
un telegramma   *a telegram*
un tovagliolo   *a napkin*
un vaso   *a vase*
il babbo   *the father*
il burro   *butter*
il caffè   *coffee*
il latte   *milk*
il lino   *linen*
il tè   *tea*

la frutta   *(the) fruit*
la mamma   *the mother*
la marmellata   *(the) jam, marmalade*

NB *babbo* and *mamma* are used affectionately to address one's parents, even by adults. The more formal *padre* and *madre* are used when speaking about one's parents.

AGGETTIVI

allegro   *gay, merry, lively*
fortunato   *lucky, fortunate*
fresco   *fresh*
*ogni   *each, every*
semplice   *simple, plain*
speciale   *special*
ultimo   *last*

* *ogni* (like all words ending in -i) is invariable – its ending never changes

Altro vocabolario

ancora   *still, yet, again*
Buon Compleanno!   *Happy Birthday!*
di solito   *usually*
finalmente   *finally*
in mezzo a   *in the middle of*
poco   *little, not much*
posso avere?   *may I have?*
prima   *first*
quante cose   *what a lot of things*
stasera   *this evening*

Numerali

11 undici
12 dodici
13 tredici
14 quattordici
15 quindici
16 sedici
17 diciassette

18 diciotto
19 diciannove
20 venti
21 ventuno
22 ventidue
23 ventitrè

There are several ways of expressing 'some' and 'any' in Italian

1   By using the contracted form of **di** with the appropriate Definite Article: e.g.

C'è **del** vino in questa bottiglia.   *There is some wine in this bottle.*
C'è **del** vino in questa bottiglia?   *Is there any wine in this bottle?*
Lucia riceve **dei** regali.   *Lucia receives some presents.*
Il postino ha **delle** lettere.   *The postman has some letters.*
Ha Lei **degli** zii?   *Have you any uncles?*

2   By using **alcuni** (masculine) and **alcune** (feminine). These usually express *some* in the sense of *a few* e.g.

Ecco **alcuni** esempi.   *Here are a few examples.*

In questa stanza ci sono **alcune** finestre.
In this room there are some windows.

NB In special cases where stress is required, **alcuni** and **alcune** should be used in preference to 'di' plus Definite Article e.g.

Alcuni studenti in questa classe sono biondi ma non tutti.
Some students in this class are blonde but not all.

3   By using **qualche**. This has already been met in Lesson 3. The ending of **qualche** never varies and nouns, adjectives and verbs used in connection with it should always be used in the SINGULAR e.g.

Vado al cinema **qualche** volta.   *I go to the cinema sometimes.*
Ho **qualche** libro italiano a casa.   *I have some Italian books at home.*
C'è **qualche** cosa d'interessante qui.   *There is something interesting here.*
C'è **qualche** cosa d'interessante qui?   *Is there anything interesting here?*

NB **qualchecosa** is often shortened to **qualcosa**.

4   By using **un po' di**. This means *some* in the sense of *a little* e.g.
Posso avere **un po' di** burro?   *Can I have a little butter?*
C'è **un po' di** zucchero qui.   *There is a little sugar here.*

Esercizio di pronuncia

gn bagno is pronounced *ban-yo*. Practise the following words, pronouncing the **gn** sound in the same way:
   segno   sogno   campagna   montagna   legno
z   z has two pronunciations. In the following words it is pronounced like *ts* in *Patsy*:
   zio   zucchero   ragazzo   pazzo   pezzo   marzo
   In the following words it is pronounced like *ds* in *pods*:
   zaino   zebra   dozzina   mezzo   zero   fertilizzare   azzurro

You cannot learn the correct pronunciation of the **z** by following any rule. The best way is to listen to the word being pronounced correctly and try to imitate it.

Esercizi

I   Rispondete in italiano alle seguenti domande:
a   Perchè apre tutte le finestre la signora Tagliavini?
b   In che cosa consiste la prima colazione in Italia?
c   Che cosa mette la signora sulla tavola?
d   Che cosa c'è in mezzo alla tavola?

e   Lucia è allegra. Perchè?

f   Perchè Lucia non capisce le parole inglesi?

g   Lucia preferisce il tè... o il caffè?

h   Quale (which) dei regali che riceve Lucia preferisce Lei?

i   Qual'è il regalo dei genitori?

j   Quale preferisce Lei, il tè... o il caffè?

2   In the following sentences, replace the words *some* and *any* by the correct contracted form of **di + Definite Article**:

a   Carlo mette (*some*) zucchero in tasca.

b   Il signor Tagliavini compra (*some*) vino.

c   Lei ha (*any*) fratelli?

d   Lei desidera (*any*) acqua fresca?

e   Ci sono (*some*) stranieri in questa città.

Use **alcuni** or **alcune** instead of *some* in the following sentences:

f   In questo vaso ci sono (*some*) fiori.

g   La signora Tagliavini mette (*some*) tazze sulla tavola.

h   Lucia riceve (*some*) regali.

i   Il professore parla (*some*) altre lingue.

j   Lo studente compra (*some*) francobolli.

3   Translate the ten completed sentences from Exercise 2 into English.

4   In each of the following sentences the verb given in brackets is in the INFINITIVE. Replace the INFINITIVE form by the correct form of the verb in the *Present Tense*:

a   Lucia (preferire) il caffè ma io (preferire) il tè.

b   Noi (finire) la lezione quinta.

c   Ogni sabato il signor Tagliavini (pulire) la macchina.

d   Io (sentire) la voce del professore ma non (capire) cosa dice.

e   Io lavoro mentre tu (dormire), – dice la signora a Carlo.

f   Abbiamo della limonata e del vino. Quale (preferire) Lei?

g   Carlo e Riccardo (pulire) le scarpe del signor Tagliavini.

h   Il padrone (aprire) la porta del bar.

i   Lei legge la lezione e gli altri studenti (capire).

j   Lucia (aprire) i pacchi che la zia (spedire) in Italia.

5   Translate the completed sentences from Exercise 4 into English.

6   Here are two simple sums:

$$13 \quad + \quad 3 \quad = \quad 16 \qquad 15 \quad - \quad 4 \quad = \quad 11$$
tredici   più   tre   fa   sedici   quindici   meno   quattro   fa   undici

Do the following sums in Italian:

11 + 9 =	20 − 3 =
12 + 3 =	16 − 2 =
14 + 2 =	18 − 7 =
13 + 6 =	17 − 4 =
15 + 3 =	19 − 1 =

Al ristorante " Il gallo d'oro "

Oggi è il compleanno di Lucia e la famiglia lo festeggia. Il padre va a prenotare cinque posti a teatro e gli altri l'aspettano a casa prima di andare al ristorante "Il gallo d'oro". Riccardo desidera andare a piedi ma, siccome è tardi quando rincasa il padre, vanno invece in tassì.

Quando arrivano al ristorante, il padre dà una buona mancia all'autista. L'autista la mette in tasca e dice,

– Grazie mille, signore, e buon appetito!

Riccardo va avanti ed apre la porta. La signora entra prima e gli altri la seguono. Il ristorante è pieno di gente ma un cameriere viene subito, saluta la famiglia e la mena a una tavola libera in un angolo. Il padre prende il menu e lo passa a sua moglie.

– Prendiamo una bottiglia d'Orvieto, dice la signora Tagliavini.

– Per noi, un'aranciata ghiacciata, dicono Carlo e Riccardo.

– Per me, dell'acqua minerale, per piacere, dice Lucia.

Il cameriere va via e poco dopo porta il vino e lo mette sulla tavola.

C'è una buona scelta di antipasti ma tutti prendono solo un po' di salame con delle olive. Poi, prendono degli spaghetti al sugo di pomodoro con formaggio parmigiano. Come secondo piatto, la signora desidera un po' di pesce ma gli altri preferiscono pollo arrosto con patatine e zucchini. Come dolce, c'è una bella torta ma Carlo desidera un gelato invece della torta. Dopo, c'è della frutta fresca; mele, pere, pesche, ciliegie, e fichi. La frutta è molto abbondante in Italia.

– Mi scusi, signore, prendono il caffè? chiede il cameriere al padre.

– Sì, cinque, e poi mi porti il conto, per favore.

Il signor Tagliavini lascia la mancia e il cameriere dice,

– Grazie mille, signore, e buon divertimento!

La famiglia va fuori. È già buio ma quasi tutte le vetrine dei negozi in piazza sono illuminate. Non c'è la luna ma il cielo è pieno di stelle.

– Che bella serata, pensa Lucia, – sono proprio contenta!

Giorni della settimana (days of the week)

(il) lunedì   *Monday*
(il) martedì   *Tuesday*
(il) mercoledì   *Wednesday*
(il) giovedì   *Thursday*
(il) venerdì   *Friday*
(il) sabato   *Saturday*
(la) domenica   *Sunday*

All the days of the week begin with a small letter in Italian except when written at the beginning of a sentence. They are all masculine except Sunday.

Vocabolario

NOMI MASCHILI

'antipasto   *hors d'œuvre*
il cielo   *the sky*
il formaggio   *cheese*
il ghiaccio   *ice*
l'oro   *gold*
il salame   *salame, spiced sausage*
gli spaghetti   *spaghetti*
il sugo   *juice, gravy, sauce*
un angolo   *a corner*
un autista   *a driver, a chauffeur*
un cameriere   *a waiter*
un conto   *a bill*
un dolce   *a sweet, a dessert*
un fiasco   *a bottle* (for wine, usually encased in straw)
un fico   *a fig*
un gallo   *a cock*
un gelato   *an ice-créam*
un menu   *a menu*
un negozio   *a shop*
un pesce   *a fish*
un pollo   *a chicken*
*un pomodoro   *a tomato*
un tassì   *a taxi*
uno zucchino   *a vegetable like a tiny marrow*

* the plural of *pomodoro* is *pomodori* or *pomidoro*.

NOMI FEMMINILI

l'acqua minerale   *mineral water*
†la gente   *the people*
la luna   *the moon*
un'aranciata   *an orangeade*
una ciliegia   *a cherry*
una mancia   *a tip, a gratuity*
una mela   *an apple*
un'oliva   *an olive*
una patata   *a potato*
una patatina   *a small potato*
una pera   *a pear*
una pesca   *a peach*
una piazza   *a square* (in a town)
una scelta   *a choice*
una stella   *a star*
una torta   *a cake*

† *la gente* is always singular and always feminine and always takes singular verbs and singular, feminine adjectives.

AGGETTIVI

abbondante *abundant*
arrosto *roast, roasted*
buio *dark*
ghiacciato *iced*
illuminato *illuminated*
libero *free*
parmigiano *Parmesan*
pieno *full*
secondo *second*

VERBI IN -ARE

festeggiare *to celebrate*
menare *to lead*
passare *to pass*
pensare *to think*
prenotare *to book* (seats etc.)
rincasare *to return home*
salutare *to greet, to take leave of*
tornare *to return*

Altro vocabolario

già *already*
invece (di) *instead (of)*
prima di andare *before going*
proprio *really, quite*
quasi *almost*
subito *immediately, at once*
tardi *late*

Buon appetito! *Have a good meal!*
(literally: *Good appetite!*)
Buon divertimento! *Have a good time! Enjoy yourself (yourselves)!*
Che bella sera! *What a lovely evening!*
Mi porti... ! *Bring me ... !*
Mi scusi! *Excuse me!*

Here are two irregular verbs which must be learnt by heart

ANDARE (*to go*)
vado
vai
va
andiamo
andate
vanno

VENIRE (*to come*)
vengo
vieni
viene
veniamo
venite
vengono

andare a piedi
   to go on foot
andare avanti
   to go forward
andare via
   to go away
andare in macchina
   to go by car

andare in tassì
   to go by taxi
andare in treno
   to go by train
andare in bicicletta
   to go on a bicycle
andare a cavallo
   to go on horseback

NEGATIVE SENTENCES

As you have already seen, a verb is made NEGATIVE simple by putting **non** in front of the verb: e.g.

Lucia va a teatro.
Lucia goes to the theatre.

Lucia **non** va a teatro.
Lucia *does not go to the theatre.

* The verb *to do* is not used to make a negative sentence in Italian.

'lo' and 'la' as object pronouns

You have already studied Subject Pronouns but in this lesson the reading passage contains some Object Pronouns. OBJECT PRONOUNS REPLACE OBJECT NOUNS. If you are not sure what the Object of a sentence is, look at the simple sentences in the following table:

SUBJECT	SUBJECT PRONOUN	VERB	OBJECT	OBJECT PRONOUN
Carlo	(He)	sees	Riccardo	(him)
Lucia	(She)	sees	Anna	(her)
The dog	(It)	eats	the bone	(it)

In Italian, the OBJECT PRONOUN for *him*, *her* and *it* is either **lo** or **la**:
lo = *him* and *it* (*masc.*)   **la** = *her* and *it* (*fem.*)

Both **lo** and **la** become **l'** when followed by a word beginning with a vowel.

In Italian, unlike in English, the OBJECT PRONOUN normally precedes the verb e.g.

Carlo vede Riccardo.
Carlo sees Riccardo.

Carlo **lo** vede.
Carlo sees him.

Carlo incontra Riccardo.
Carlo meets Riccardo.

Carlo **l'**incontra.
Carlo meets him.

Lucia vede Anna.
Lucia sees Anna.

Lucia **la** vede.
Lucia sees her.

Lucia incontra Anna.
Lucia meets Anna.

Lucia **l'**incontra.
Lucia meets her.

Il cane mangia l'osso.
The dog eats the bone.

Il cane **lo** mangia.
The dog eats it.

Il cane mangia la carne.
The dog eats the meat.

Il cane **la** mangia.
The dog eats it.

Lucia apre il libro.
Lucia opens the book.

Lucia **l'**apre.
Lucia opens it. (masc.)

Lucia apre la porta.
Lucia opens the door.

Lucia **l'**apre.
Lucia opens it. (fem.)

Numerali

20 venti	50 cinquanta	80 ottanta
30 trenta	60 sessanta	90 novanta
40 quaranta	70 settanta	100 cento

20 venti	41 quarantuno	85 ottantacinque
*21 ventuno	42 quarantadue	90 novanta
22 ventidue	*48 quarantotto	*91 novantuno
23 ventitrè	50 cinquanta	100 cento
24 ventiquattro	*51 cinquantuno	101 cento uno
25 venticinque	52 cinquantadue	108 cento otto
26 ventisei	*58 cinquantotto	120 centoventi
27 ventisette	60 sessanta	149 centoquarantanove
*28 ventotto	*61 sessantuno	200 duecento
29 ventinove	62 sessantadue	300 trecento
30 trenta	*68 sessantotto	1.000 mille
*31 trentuno	70 settanta	1.001 mille e uno
32 trentadue	*78 settantotto	1.002 milledue
*38 trentotto	80 ottanta	1.200 milleduecento
40 quaranta	*81 ottantuno	

* *venti*, *trenta*, *quaranta* etc. drop their final vowel to tag on *uno* and *otto*.

1.969 = *millenovecentosessantanove*.

Numerals are usually written as one word in Italian except for 1.001 (*mille e uno*).

When *tre* is tagged on to the end of a numeral, it requires an accent e.g. *trentatrè*.

Mille has an irregular plural: 1.000 = *mille*, but 2.000 = *duemila*.

Esercizi

1   Rispondete alle seguenti domande:

a   Cosa festeggia la famiglia Tagliavini?
b   Quanti (*how many*) posti prenota il signor Tagliavini?
c   Che cosa dà il signor Tagliavini all'autista?
d   Chi apre la porta del ristorante?
e   Chi entra prima nel ristorante?
f   Dov'è la tavola?
g   Chi porta il vino a tavola?
h   Cosa prendono come antipasto?
i   E poi cosa prende la signora?
j   Cosa desidera Carlo invece della torta?
k   C'è un ristorante nella città dove abita Lei?
l   Cosa prende Lei a colazione... il tè, il caffè o il latte? (o   *or*)
m   Lei ha delle sorelle?
n   Lei preferisce andare in bicicletta o in macchina?
o   Lei prende la marmellata a colazione?
p   Lei ha il telefono?
q   Preferisce Lei il pesce o il pollo arrosto?
r   Dove va Lei dopo la lezione?

s   Di che colore sono le pere?
t   Di che colore sono le ciliegie?

2   Insert the correct form of the verb ANDARE in the following sentences, then translate the completed sentences into English:

a   Ogni sera io .... a casa.
b   Ogni domenica noi .... in chiesa. (la chiesa = *the church*)
c   – Dove .... tu? domanda la mamma.
d   Noi .... a Londra ma voi .... a Parigi. (Parigi = *Paris*)
e   Lucia .... a scuola.
f   Carlo e Riccardo .... al bar.
g   Il professore .... all'università. (l'università = *the university*)
h   Io .... al cinema ma Lei .... a teatro.
i   Loro non .... in autobus, preferiscono .... a piedi.
j   Quando la lezione è finita, noi .... a casa.

3   Insert the correct form of the verb VENIRE in the following sentences then translate the completed sentences into English:

a   Io .... da Milano. (Milano = *Milan*)
b   Lei .... da Roma.
c   Il signor Tagliavini e sua moglie .... da Castiglione.
d   Ogni settimana noi .... a scuola.
e   Da dove .... voi?
f   Tu .... sempre in ritardo..
g   Carlo .... dal bar con un gelato in mano.
h   Io .... in Italia ogni anno.
i   .... Loro al ristorante dopo la lezione?
j   Da dove .... Lei?

4   Find the correct OBJECT PRONOUNS corresponding to the nouns given in brackets and insert them in the correct position in front of the verb. Then translate the completed sentences into English:

a   (il regalo) Il signor Tagliavini .... compra.
b   (l'acqua minerale) Lucia .... prende.
c   (Carlo) Lo studente .... vede.
d   (la mamma) Carlo e Lucia .... seguono.
e   (l'osso) Il cane .... aspetta.
f   (la porta) Il cameriere .... apre.
g   (il vino) Il padrone .... vende.
h   (la lettera) La zia .... spedisce.
i   (la tavola) La signora .... apparecchia.
j   (la radio) I ragazzi .... ascoltano.

5   Write out, or say, the following numerals in Italian:
5, 9, 11, 17, 19, 20, 21, 22, 28, 30, 36, 38, 40, 41, 47, 50, 51, 59, 60, 68, 70, 72, 80, 88, 90, 91, 99, 100, 101, 253, 398, 555, 700, 900, 999, 1,000, 1,001, 1,966, 1969, 2,000. (Careful with the last one.)

A teatro

Il teatro San Giorgio è dirimpetto al municipio, a poca distanza dal ristorante 'Il gallo d'oro'. Vicino all'entrata c'è una fontana. Il teatro è un magnifico edificio di pietra con due belle scalinate bianche, una a destra e l'altra a sinistra.

Il signor Tagliavini compra una scatola di cioccolatini per la moglie. La cioccolata piace molto alla signora. Lucia compra due scatole di caramelle e le dà ai fratelli. Il signor Tagliavini compra anche un pacchetto di sigarette. Di solito, fuma la pipa o le sigarette senza filtro ma non fuma molto e non fuma mai a teatro. È proibito fumare nei teatri italiani e, infatti, alla parete di questo teatro c'è un avviso che dice 'VIETATO FUMARE'.

Tutti entrano in sala; hanno i posti riservati e una maschera li accompagna. Il signor Tagliavini compra un programma e lo dà a sua moglie.

La signora mette gli occhiali e legge i nomi degli attori e delle attrici. L'opera non comincia ancora ma i posti sono quasi tutti occupati. Ci sono più donne che uomini. Per lo più, la gente seduta guarda il programma o parla a bassa voce ma alcuni chiacchierano ad alta voce. Lucia vede un'amica che si chiama Margherita seduta vicino all'uscita. È una studentessa molto brava che studia all'università di Bologna. Qualcuno arriva in ritardo e, prima di scomodare le persone che sono già sedute, dice:
– Permesso!

Alle otto ed un quarto l'orchestra suona il preludio e comincia il primo atto. Il pubblico cessa di parlare e infine c'è silenzio completo. Gli occhi di tutti sono fissi sul palcoscenico. Gli attori e le attrici recitano bene e, alla fine dell'atto, il pubblico li applaude. Il secondo atto è allegro e la prima donna canta bene circondata da un gruppo di soldati. La prima donna è felice perchè è innamorata del loro capitano, un bell'uomo alto e bruno.

Verso la fine del terzo atto la prima donna sta a letto. Il medico entra in scena e dice che la sfortunata eroina ha una malattia grave. Apre la borsa ma poi dice che la medicina è ormai inutile. Dice al capitano, – Coraggio, signor capitano, la signorina è molto debole e sta per morire.

Il capitano la stringe fra le braccia e piange. Carlo ha un gran desiderio di ridere perchè la prima donna è molto robusta e rossa in faccia e sembra in ottima salute.

È molto tardi quando la famiglia rincasa ed i ragazzi vanno subito a letto. Lucia ringrazia i genitori per la loro gentilezza. Non vede l'ora di raccontare tutto alle sue amiche.

Here are three irregular verbs having their Infinitive endings in '-are'

Apart from ANDARE, which has already been studied, these three verbs are the only other verbs in the 1st Conjugation which are irregular in the present tense.

DARE (*to give*)	FARE (*to make, to do*)	STARE (*to stay, to be, to remain*)
do	faccio	sto
dai	fai	stai
*dà	fa	sta
diamo	facciamo	stiamo
date	fate	state
danno	fanno	stanno

* **dà** has an accent to distinguish it from **da** (*from, by*, etc.)

You have already met the verb STARE in expressions such as: **Come sta?** Other examples are:

Sto bene.   *I am well.*
Sto meglio.   *I am better.*
Come stanno gli altri?   *How are the others?*

Note also the use of STARE in expressions such as the following:
Sto per partire.   *I am about to leave, I am just going to leave.*
La prima donna sta per morire.   *The prima donna is going to die.*

Vocabolario

NOMI MASCHILI
atto   *act*
attore   *actor*
avviso   *notice, sign*
braccio   *arm*
   (*pl.* le braccia   *the arms*)
capitano   *captain*
coraggio   *courage*
desiderio   *wish, desire*
edificio   *building*
filtro   *filter*
gruppo   *group*
medico   *doctor*
municipio   *town hall*
nome   *name*
occhiali   *spectacles*
occhio   *eye*
   (*pl.* gli occhi   *the eyes*)
pacchetto   *packet*
palcoscenico   *stage*

NOMI FEMMINILI
attrice   *actress*
borsa   *bag*
caramella   *sweet, caramel*
cioccolata   *chocolate*
cioccolatini   *individual chocolates*
   (*masc.*)
distanza   *distance*
donna   *woman*
entrata   *entrance*
eroina   *heroine*
faccia   *face*
fine   *end*
fontana   *fountain*
gentilezza   *kindness*
malattia   *illness, sickness*
maschera   *usherette*
medicina   *medicine*
opera   *opera, work*
parete   *inner wall*

preludio *overture, prelude*
programma *programme*
pubblico *public, audience*
qualcuno *someone, one or two*
San Giorgio *St. George*
silenzio *silence*
soldato *soldier*
uomo *man*
  (*pl.* gli uomini *the men*)

pietra *stone*
pipa *pipe*
sala *room, auditorium, hall*
scalinata *staircase*
scatola *box*
scena *scene*
sigaretta *cigarette*
studentessa *student* (female)
università *university*
uscita *exit*
voce *voice*

AGGETTIVI
alto *tall, high*
basso *low, short in stature*
bravo *clever*
circondato *surrounded*
completo *complete*
debole *weak*
elegante *smart, elegant*
felice *happy*
fisso *fixed*
grave *grave, serious*
innamorato *in love*

inutile *useless*
magnifico *magnificent*
occupato *occupied*
primo *first*
proibito *prohibited*
riservato *reserved*
robusto *robust, sturdy*
seduto *seated*
sfortunato *unfortunate*
terzo *third*

VERBI
accompagnare *to accompany*
cessare *to cease, to stop*
chiacchierare *to chatter, to gossip*
fumare *to smoke*
guardare *to look at*
passare *to pass*
prima di passare *before passing*
raccontare *to tell* (a story etc.)

recitare *to act, to recite*
scomodare *to disturb*
sembrare *to seem*
piangere *to weep, to cry*
ridere *to laugh*
stringere *to squeeze, to hold tightly*
applaudire *to applaud*

Altro vocabolario

a destra *to the right*
a sinistra *to the left*
dirimpetto a *opposite*
fra *between, within, among, in*
infatti *in fact*
infine *at last*

mai *ever, never*
ormai *by now, by then*
per lo più *for the most part*
senza *without*
verso *towards*
vicino (a) *near (to)*

Altre espressioni utili

Bravo! *Well done!*
Permesso! *Excuse me!* (when wanting to pass, enter, take something etc.)
È vietato fumare *Smoking forbidden*

alle otto ed un quarto   *at a quarter past eight*
Non vedo l'ora di andare in Italia   *I am looking forward very much to going*
   to Italy.
Come si chiama Lei?   *What is your name? What are you called?*
Mi chiamo . . .   *My name is . . ., I am called . . .*
L'amica di Lucia si chiama Margherita.   *Lucia's friend is called Margherita.*

NB **il nome** is usually used for *the name* but when it is necessary to
   distinguish between SURNAME and FORENAME:
   il cognome   *the surname*
   il nome   *the forename* or *Christian name*

Possessive adjectives

You have already met **suo** and **sua** meaning *his* and *her* and you may have
noticed that **suo** is used in front of a MASCULINE noun and **sua** in front of
a FEMININE noun. In English, we say *his* when the possessor is masculine
and *her* when the possessor is feminine. But in Italian the gender of the
possessor is NOT taken into account and it is the gender of the thing
possessed which governs the form taken by the Possessive Adjective. Thus,
suo in front of a noun can mean both *his* and *her* and *your* (polite) and so
can **sua**.

Possessive Adjectives are adjectives which indicate to whom the following noun belongs. Since they are adjectives they must agree both in gender
and number with the noun they qualify. Possessive Adjectives, in Italian,
are preceded by the appropriate Definite Article except in certain cases
which will be studied later when you will see why some of the Definite
Articles are missing in the reading passage.

my book = il **mio** libro (**mio** is masculine singular to agree with **libro**)
my books = i **miei** libri (**miei** is masculine plural to agree with **libri**)
my pen = la **mia** penna (**mia** is feminine singular to agree with **penna**)
my pens = le **mie** penne (**mie** is feminine plural to agree with **penne**)

You will see above that **mio** has four forms. All the other Possessive
Adjectives also have four forms with the exception of **loro** which never
changes.

MASCULINE		FEMININE		
Singular	*Plural*	*Singular*	*Plural*	
il mio	i miei	la mia	le mie	*my*
il tuo	i tuoi	la tua	le tue	*your* (familiar*)
il suo	i suoi	la sua	le sue	*his, her, its, your* (polite*)
il nostro	i nostri	la nostra	le nostre	*our*
il vostro	i vostri	la vostra	le vostre	*your* (familiar†)
il loro	i loro	la loro	le loro	*their, your* (polite†)

   * when possessor is singular   † when possessor is plural

Possessive Adjectives are repeated before each noun to which they refer:
il mio cappello ed **i miei** guanti   (*my hat and my gloves*)

The Possessive Adjective usually precedes the noun it qualifies but it sometimes follows for special emphasis:
Questa è la sua borsa, dov'è la borsa **mia**?
This is your bag, where is my bag?

Loro and the four forms of **Suo** are often written with a capital letter when they mean *your*.
Because **suo, suoi, sua** and **sue** can have different meanings, this can lead to ambiguity e.g.

Lucia legge il **suo** giornale = *Lucia is reading her newspaper*
= *Lucia is reading his newspaper*
= *Lucia is reading your newspaper*

To avoid any ambiguity, however, we can say:
Lucia legge il giornale **di lui** = *Lucia is reading his newspaper*
Lucia legge il giornale **di lei** = *Lucia is reading her newspaper*
Lucia legge il giornale **di Lei** = *Lucia is reading your newspaper*

Note this idiomatic use of the Possessive Pronoun, where *of* is not translated:
Lucia vede **una sua amica** = Lucia sees a friend of hers
Un mio zio è morto = One of my uncles is dead

The plural object pronouns LI and LE

The plural of **lo** (*him, it*) is **li** (*them*).
The plural of **la** (*her, it*) is **le** (*them*).
li is used for *them* if the gender is mixed.

Both **li** and **le** normally precede the verb, but unlike **lo** and **la** they do not take an apostrophe in front of a verb beginning with a vowel.

Esercizi

1   Rispondete alle seguenti domande:
a   Dove si trova (*Where is*) il teatro San Giorgio?
b   C'è un teatro nella città dove abita Lei?
c   Il teatro San Giorgio è vicino al ristorante 'Il gallo d'oro'?
d   Dove si trova la fontana?
e   Fuma Lei? Se (*if*) Lei fuma, che fuma?
f   Che fuma il signor Tagliavini?
g   Che cosa compra Lucia a teatro?
h   Le piacciono le caramelle?

i   A chi dà una scatola di caramelle Lucia?
j   Le piace la cioccolata?
k   È vietato fumare nei teatri inglesi?
l   Chi accompagna i Tagliavini ai loro posti?
m   Cosa fa la signora prima di leggere i nomi degli attori?
n   A che ora comincia l'opera? (A che ora? = *At what time?*)
o   Dov'è seduta Margherita?
p   Quando cessa di parlare il pubblico?
q   Perchè è felice la prima donna?
r   È brutto il capitano?
s   La prima donna sta a letto. Perchè?
t   Che c'è nella borsa del medico?

2   In the following sentences, insert the correct form of the verb given in
    the Infinitive in brackets, then translate your answers into English:
a   Buon giorno, signore. Come (stare)? (Stare) molto bene grazie. E Lei?
b   Non abbiamo molto tempo, (stare) per prendere il treno.
c   I miei genitori (stare) in ottima salute.
d   Come (stare), ragazzo mio?
e   Ho molte sigarette e ne (dare) cinque o sei a un mio amico.
f   Carlo e Riccardo (dare) il programma al signor Tagliavini.
g   La signorina (dare) la scatola di caramelle a Lucia.
h   Non (fare) molto caldo oggi.
i   Ogni mattina noi (fare) colazione alle otto e un quarto.
j   Che cosa (fare) Lei dopo la lezione?

3   In the following sentences, insert an appropriate POSSESSIVE
    ADJECTIVE and translate the completed sentences into English:
a   Vendo la .... macchina fotografica e le .... pellicole.
b   La mamma dice a Carlo, – Dov'è il .... cappello?
c   Il postino consegna le .... lettere.
d   Il signor Tagliavini fuma la .... pipa.
e   Il cane mangia il .... osso.
f   I signori leggono i .... giornali.
g   Le ragazze portano le .... borsette.
h   Io vendo il .... orologio.
i   Vendiamo la .... casa e ne compriamo un'altra.
j   Buona sera, signorina. Dove sono i .... fratelli?

Notes on the verb 'piacere'

il piacere is a noun meaning *pleasure*. The verb piacere means *to please*
or *to give pleasure*. This verb is usually used in Italian to express the verb
to like and, until you are more familiar with its use, these notes will help
you to understand its application. Let us take as an example the English

sentence: *I like wine.* We have to remember that an Italian thinks the equivalent to: *Wine gives pleasure to me.*

The object *wine* in the English expression becomes the subject **il vino** in the Italian expression and one Italian translation is:

Il vino piace a me.

a me is an emphatic way of saying *to me* and the usual way of expressing *to me* is by using the indirect pronoun **mi** which precedes the verb. The usual way of saying *I like wine* in Italian is:

Il vino mi piace. or **Mi piace il vino.**

Do remember that **mi** does not mean *I* and is not the subject of the verb. The subject is **il vino**. If we make **il vino** plural we shall have to use the plural verb **piacciono**. Thus:

I like Italian wines. **I vini italiani mi piacciono.**
Mi piacciono i vini italiani.

The only parts of the verb you need remember at this stage are **piace** and **piacciono**.

Here are some more examples:

La cioccolata piace alla signora Tagliavini. *Mrs. Tagliavini likes chocolate.*
La cioccolata **le** piace. *She likes chocolate.*
I cioccolatini piacciono a Lucia. *Lucia likes chocolates.*
Le piacciono i cioccolatini. *She likes chocolates.*
La musica piace al signor Tagliavini. *Mr. Tagliavini likes music.*
Gli piace la musica. *He likes music.*
Ci piace il cibo italiano. *We like Italian food.*

il giardino

lo studio

la cucina

il garage

la sala da pranzo

il salotto

IL PIAN TERRENO DELLA CASA DEI TAGLIAVINI

La casa dei Tagliavini

I Tagliavini hanno una bella casa dipinta di bianco con il tetto di tegole rosse. È una casa a due piani ed è situata in un largo viale.

La cucina, la sala da pranzo, il bel salotto e lo studio, dove lavora il signor Tagliavini, sono al pian terreno. Al piano superiore ci sono quattro camere da letto e la stanza da bagno. Quasi tutte le camere hanno un balcone. Accanto alla casa c'è il garage. Oltre all'automobile ci sono le biciclette dei ragazzi.

C'è sempre molto da fare in casa ma la signora Tagliavini impiega una cameriera per fare il lavoro più pesante. La cameriera, che si chiama Angelina, è molto simpatica. Quando il signor Tagliavini è al lavoro, Angelina va in giro con il suo strofinaccio e l'aspirapolvere e la casa è sempre pulita.

Il pavimento del salotto è di mattonelle. La mobilia è bella e moderna e c'è il riscaldamento centrale. In un angolo c'è il televisore. La televisione piace a tutta la famiglia ma il padre non ha molto tempo disponibile e passa molte ore nello studio. Lo studio è piccolo e la mobilia consiste in una poltrona in cuoio, una scrivania, un tavolino ed uno scaffale. Lo

La Camera di Lucia

scaffale è pieno zeppo di libri. Sul tavolino c'è una scatola di sigari, un accendisigaro ed una scatola di fiammiferi.

Lucia pulisce la propria camera che ha una grande finestra che lascia entrare molta luce. Le tendine sono di un tessuto molto fine ricamato a piccole rose. Sul pavimento di legno c'è un bel tappeto rosa. Le pareti sono dello stesso colore ma il soffitto è verde chiaro. Il letto è molto comodo e ha un materasso soffice. Le lenzuola sono di cotone ma in inverno occorre mettere anche le coperte di lana perchè fa freddo soprattutto nel mese di gennaio. Ad una parete c'è qualche quadro e lungo la parete c'è un divano e dei cuscini di diversi colori. Una sveglia e una lampada elettrica con un paralume rosa sono sul cassettone. Nei cassetti della toletta ci sono gli articoli personali di Lucia... il rossetto, la cipria, la crema, il profumo, lo smalto per le unghie ecc. Sulla toletta c'è una fotografia, un piccolo gatto di porcellana e un cane di legno. Gli animali piacciono molto a Lucia. Dalla finestra vede il giardino e ogni mattina, un grosso uccello con il becco giallo viene a prendere il pane che Lucia mette fuori sull'erba. Mangia il pane in fretta e vola via senza cantare. È veramente un ingrato!

D'estate, il giardino è pieno di fiori di ogni colore. Ci sono anche parecchi alberi. A primavera i rami degli alberi sono coperti di fiori ma in autunno sono carichi di frutta. L'autunno piace alla signora Tagliavini ma, secondo Lucia, la primavera è la più bella stagione dell'anno.

I mesi dell'anno (*the months of the year*)

Il primo mese dell'anno è gennaio. Gli altri mesi sono febbraio, marzo, aprile, maggio, giugno, luglio, agosto, settembre, ottobre, novembre e dicembre. I mesi sono tutti di genere maschile (di genere maschile = *of masculine gender*).

La data (*the date*)

Il primo is used for the 1st of the month but ordinary cardinal numerals are used for other dates. **il** is usually used in front of the numeral, changing to **l'** in front of **otto** and **undici** e.g.

il 1 gennaio = il primo gennaio   *January 1st* or *the 1st of January*
il 2 febbraio = il due febbraio   *February 2nd* or *the 2nd of February*

l'otto marzo   *March 8th*   l'undici aprile   *April 11th*
in maggio   *in May*   nel mese di maggio   *in the month of May*
nel 1966   *in 1966*   nell'anno 1966   *in the year 1966*

The words *on* and *of* in expressions such as the following are NOT translated:

My birthday is on the 21st of January.
Il mio compleanno è il 21 gennaio.

NB All the months and seasons, like the days of the week, are written with a small letter except at the beginning of a sentence.

Le quattro stagioni dell'anno (*the four seasons of the year*)

La prima   stagione dell'anno è la primavera. (*fem.*)
La seconda stagione dell'anno è l'estate. (*fem.*)
La terza   stagione dell'anno è l'autunno. (*masc.*)
La quarta   stagione dell'anno è l'inverno. (*masc.*)

> Trenta giorni ha novembre,
> con aprile, giugno e settembre,
> di ventotto ce n'è uno;
> tutti gli altri ne han trentuno.

In un anno bisestile il mese di febbraio ha ventinove giorni.
In a leap year the month of February has twenty-nine days.

Vocabolario

NOMI MASCHILI

accendisigaro *cigarette lighter*
albero *tree*
animale *animal*
articolo *article*
aspirapolvere *vacuum cleaner*
balcone *balcony*
becco *beak*
cane *dog*
cassetto *drawer*
cassettone *chest of drawers*
cotone *cotton*
cuoio *leather, hide*
cuscino *cushion, pillow*
divano *divan*
fiammifero *match* (for striking)
garage *garage*
gatto *cat*
giardino *garden*
lavoro *work*
legno *wood*
materasso *mattress*
paralume *lampshade*
pavimento *floor*
piano *storey*
piano superiore *top floor*
pian terreno *ground floor*
profumo *perfume*
quadro *picture*
ramo *branch*
riscaldamento (centrale) *(central)*
  heating
rossetto *lipstick*
salotto *lounge*
scaffale *shelf*
sigaro *cigar*
smalto *enamel*
smalto per le unghie *nail varnish*
soffitto *ceiling*
strofinaccio *duster*
studio *study, studio*
tappeto *carpet*
tavolino *(small) table*
tetto *roof*

NOMI FEMMINILI

automobile *motor car*
bicicletta *bicycle*
camera (da letto) *bedroom*
cameriera *maid, waitress*
cipria *face powder*
coperta *blanket, quilt*
erba *grass*
fotografia *photograph*
lampada *lamp*
lana *wool*
luce *light*
mattonella *floor tile*
mobilia *furniture*
poltrona *arm chair*
porcellana *porcelain, china*
rosa *rose*
sala da pranzo *dining room*
scrivania *writing-desk*
sveglia *alarm clock*
tegola *roof tile*
televisione *television*
tendina *curtain*
toletta *dressing table*

AGGETTIVI

carico *loaded, laden*
comodo *comfortable*
coperto *covered*
disponibile *spare, available*
elettrico *electric*
fine *fine, delicate*
grosso *big*
ingrato *ungrateful*
largo *wide*
moderno *modern*
parecchi *several*
personale *personal*
pesante *heavy*
pieno zeppo *chock full*
proprio *own*
pulito *clean*

televisore	television set	ricamato	embroidered
tessuto	fabric, cloth	*simpatico	nice
uccello	bird	situato	situated
viale	avenue		
mattone	brick, tile (for building)		

* used to describe a person of nice disposition.

VERBI

andare in giro	to go around	impiegare	to employ
	to go about	mangiare	to eat
		volare	to fly

Altro vocabolario

accanto	beside, next to, by the side	fa freddo	it is cold (weather)
occorre	it is necessary	sopra tutto	above all, especially
secondo	according to, in the opinion of	(or soprattutto)	
		veramente	truly, really

The irregular adjectives 'bello', 'quello', 'buono' and 'grande'

When the above do NOT come in front of the noun they qualify, they behave REGULARLY. When they precede the noun, however, they have different forms as follows:

bello (*beautiful, handsome, fine, nice, lovely*) and **quello** (*that* and, in the plural, *those*) have forms similar to those of the Definite Article e.g.

un bel ragazzo	una bella donna	due bei ragazzi
un bello specchio	una bell'orchestra	due begli zii
un bello zio		due begli uomini
un bell'uomo		due belle donne

quel ragazzo	quella donna	quei ragazzi
quello specchio	quell'orchestra	quegli zii
quello zio		quegli uomini
quell'uomo		quelle donne

buono (*good*) is REGULAR in all its PLURAL forms but its singular forms, in front of the noun, correspond to those of the Indefinite Article e.g.

un buon giornale	una buona penna
un buono studente	una buon'orchestra
un buon orologio	

grande (*big, great*) is REGULAR in all its plural forms. It is written in full in front of masc. singular nouns beginning with z or with s followed by another consonant. It drops the final 'e' before nouns beginning with a vowel. Before other masculine nouns, and sometimes before feminine nouns, it becomes **gran** e.g.

un gran teatro
un grande specchio
un grande zero
un grand'orologio

una grande città
or una gran città
una grand'orchestra

Asking questions—formation of the interrogative

The Interrogative can be formed simply by inflecting the voice to make the sentence SOUND like a question or, when writing, by putting a question mark at the end e.g.

Lucia ha il telefono. *Lucia has the telephone.* (statement)
Lucia ha il telefono? *Has Lucia the telephone?* (question)

Or the position of the verb and subject can be changed around:

Ha il telefono Lucia?

You will also find the expression **non è vero?** useful. It is used like the French 'n'est-ce pas?' and it does not change its form like the English equivalent:

Fa caldo oggi, **non è vero?** *It's hot today, isn't it?*
Lei ha una bella casa, **non è vero?** *You have a nice house, haven't you?*

Interrogative adjectives 'quale' and 'quanto'

quale (*which*)
Quale libro legge Lei? *Which book are you reading?*
Quali sono i Suoi guanti? *Which are your gloves?*
quale has only the two forms given above but the singular form is sometimes shortened to **qual** e.g.
Qual è il primo giorno della settimana? *Which is the first day of the week?*

quanto (*how much, how many*) has four forms like other adjectives ending in **o**.
Quanto vino c'è in questa bottiglia?   Quanti soldi ha Lei?
Quanta limonata c'è in questa bottiglia?   Quante penne ha Lei?

NB **quanto** is also used as a pronoun in such expressions as:

Quanto costa quest'orologio? *How much is this watch?*
How much does this watch cost?

Che tempo fa? *(What kind of weather is it?)*

Fa freddo (tempo).	Fa molto bello. *It is very nice.*
It is cold (weather).	Fa fresco. *It is cool.*
Fa caldo. *It is hot.*	Fa cattivo tempo.
Fa un tempo da cani.	*The weather is bad.*
It is foul weather.	C'è la nebbia. *It is foggy.*
Fa umido. *It is damp.*	Nevica. *It is snowing.*
Piove. *It is raining.*	Lampeggia. *It is lightning.*
Tuona. *It is thundering.*	Il sole brilla. *The sun is shining.*
Gela. *It is freezing.*	Il tempo è mite.
Tira vento. *It is windy.*	*The weather is mild.*

Esercizi

1   Rispondete alle seguenti domande:

a   Il signor Tagliavini ha un'automobile; dove la mette?
b   Che c'è sul tavolino dello studio?
c   Cosa troviamo in giardino d'estate?
d   Cosa fa l'uccello che viene ogni mattina nel giardino dei Tagliavini?
e   Quali sono le stanze al pian terreno d'una casa?
f   Dove sono le camere in una casa a due piani?
g   Perchè occorre mettere le coperte di lana d'inverno?
h   Come si chiama la cameriera?
i   Come si chiama Lei?
j   Qual è il Suo cognome?
k   È diligente la cameriera?
l   Cosa ha in mano la cameriera per pulire la casa?
m   Di che colore è il tappeto in camera Sua?
n   Le piacciono gli animali?
o   Con che cosa facciamo una fotografia?
p   Le piace la televisione o preferisce il cinema?
q   Qual è la seconda stagione dell'anno?
r   Qual è il primo mese dell'anno?
s   Qual è l'ultimo mese dell'anno?
t   Quanti mesi ci sono in un anno?

2   Write a few words in Italian to describe your bedroom.

3   Put the correct form of BELLO in the space provided.

un .... soldato	due .... Italiani
una .... fotografia	due .... teatri
un .... studente	due .... case
una .... studentessa	due .... uomini
un .... castello	
un .... Americano	

4   Repeat Exercise 3 using the correct form of QUELLO instead of 'bello', and omitting the Indefinite Article, and 'due'.

5   Put the correct form of BUONO in the space provided:

un .... negozio	una .... torta
una .... mancia	un .... strofinaccio
un .... orologio	un .... uomo
un .... edifizio	due .... teatri
un .... specchio	due .... automobili

6   Repeat Exercise 5 using the correct form of *grande*.

7   Here are two sentences about the weather in January and February:

Nel mese di gennaio gela.   *In the month of January it freezes.*
A febbraio fa molto freddo.   *In February it is very cold.*

Make up ten sentences in Italian about the weather for each of the other ten months.

NB   You will notice in Exercises 3 and 5 that when the Indefinite Article is separated from the noun by an adjective, the noun no longer has any influence on the form the Indefinite Article will take. It is the adjective following the Indefinite Article which governs the form the article will take e.g.

un bello specchio   *but*   **uno** specchio

Lezione nona

Dicembre a Milano

Il clima d'Italia è molto buono e la temperatura è mite. Il cielo è quasi sempre azzurro e sereno e, in alcuni luoghi, non piove affatto d'estate per lunghi periodi. In Sicilia non nevica quasi mai e, d'inverno, soltanto la cima dell'Etna è coperta di neve. A Milano e in quelle parti d'Italia vicino alle Alpi, però, il clima d'inverno non è così buono come il clima delle altre parti d'Italia. Durante i mesi d'inverno fa molto freddo a Milano. Molto spesso c'è una nebbia fitta e nevica. Quando nevica i ragazzi amano giocare a palle di neve ma, di solito, la neve non piace alla gente che va a piedi a lavorare in città.

Conosciamo già una famiglia italiana ma ne conosciamo nessuna che vive a Milano? Non ancora forse ma questa lezione tratta di una famiglia milanese. Il padre, Giuseppe Negri, è il direttore di un grand'albergo alla periferia di Milano e la famiglia Negri ha un bell'appartamento al piano superiore dell'albergo. I Negri hanno un figlio, Bruno, ed una figlia, Rosetta. Rosetta ha dieci anni. Bruno non ha che sette anni. C'è anche Filippo. Filippo è un cugino del signor Negri. Non è sposato e alloggia nello stesso appartamento.

Il signor Negri sa parlare alcune lingue straniere. Sa parlare francese, inglese, tedesco e, naturalmente, italiano. Anche la moglie sa parlare inglese correntemente ma non sa scriverlo molto bene.

E cosa fanno i membri della famiglia Negri nel mese di dicembre? Fanno i loro preparativi per la festa di Natale. La signora Negri va in giro per le botteghe in cerca di regali per la famiglia e per i parenti. I Negri hanno dei parenti in America, in Australia e in Inghilterra. Ogni anno, a dicembre, i parenti inviano dei cartoncini di Natale alla famiglia Negri e la signora Negri li mette sulla credenza prima di Natale. I cartoncini hanno un assortimento di disegni... disegni con candele, lanterne, una montagna coperta di neve, un pettirosso su di un tronco d'albero, una cattedrale, il bambino Gesù con la Vergine o Babbo Natale con il naso rosso e la barba ed i capelli bianchi. Dentro sono scritte le parole: 'Buon Natale e Felice Anno Nuovo', 'Con i miei più cordiali saluti', 'Saluti sinceri', 'Tanti auguri'... e così via.

Il signor Negri ha molto da fare durante il mese di dicembre e lavora fino a tardi ogni sera ma, alla Vigilia di Capodanno, una grande festa ha luogo nella sala da ballo dell'albergo. Rosetta e Filippo aiutano la signora Negri a decorare la sala da ballo con palloncini e ghirlande di carta colorata. È una grande festa e il signor Negri invita anche molti amici e conoscenti.

L'orchestra suona la musica da ballo e tutti sono allegri perchè festeggiano l'arrivo del nuovo anno. A mezzanotte, i giovanotti baciano le ragazze e gridano 'Buon Anno!' Tutti ballano fino alle due tranne Filippo che è piuttosto timido. È scapolo e ha paura delle ragazze. Preferisce stare in un angolo con una bella bottiglia di Spumante. – Così, non c'è nessun pericolo, dice Filippo.

Idiomatic expressions with 'avere'

In many expressions where the verb *to be* is used in English, the equivalent expression in Italian requires the verb **avere** (*to have*) e.g.

aver fretta	*to be in a hurry*	aver fame	*to be hungry*
aver freddo	*to be cold*	aver sete	*to be thirsty*
aver caldo	*to be hot*	aver ragione	*to be right*
aver sonno	*to be sleepy*	aver torto	*to be wrong*
aver paura	*to be afraid*	aver luogo	*to take place*

ho fame (literally: *I have hunger*)   *I am hungry*
ho sete (literally: *I have thirst*)   *I am thirsty*
abbiamo paura (literally: *we have fear*)   *we are afraid*

Vocabolario

NOMI MASCHILI
albergo *hotel*
appartamento *apartment, flat*
assortimento *assortment*
augurio *wish*
babbo *father, daddy*
bambino (-a) *baby, child*
(un) capello (*a*) *hair*
(i) capelli (*the*) *hair* (on head)
Capodanno *New Year's Day*
cartoncino *greetings card*
clima (il) *climate*
conoscente *acquaintance*
cugino (-a) *cousin*
direttore *director, manager*
disegno *design*
figlio *son*
giovanotto *youth, young man*
luogo *place*
membro *member*
naso *nose*
Natale *Christmas*
palloncino *balloon*
parente (*m.* and *f.*) *relative*
pericolo *danger*
periodo *period*
pettirosso *robin*
preparativo *preparation*

NOMI FEMMINILI
barba *beard*
bottega *shop*
candela *candle*
carta *paper*
cattedrale *cathedral*
cerca *search*
cima *summit, top*
credenza *sideboard*
festa *party, festival, feast*
figlia *daughter*
ghirlanda *garland*
lanterna *lantern*
mezzanotte *midnight*
montagna *mountain*
neve *snow*
palla *ball*
periferia *outskirts*
riunione *reunion, meeting*
Sicilia *Sicily*
temperatura *temperature*
vergine *virgin*
vigilia *eve*

AGGETTIVI
colorato *coloured*
cordiale *cordial, warm*
fitto *thick*

saluto *greeting*
scapolo *bachelor*
*Spumante *Spumante*
tronco *trunk*

* a sparkling Italian wine similar to Champagne.

milanese *Milanese*
mite *mild*
sereno *serene*
sincero *sincere*
sposato *married*
timido *shy, timid*
tanto *much, so much*

AVVERBI

correntemente *fluently*
così *so, thus*
dentro *inside*
fino a *until, up to, as far as*
forse *perhaps*
piuttosto *rather*
soltanto *only*
tranne *except*

VERBI

amare *to love*
alloggiare *to stay, to lodge*
decorare *to decorate*
gettare *to throw*
giocare *to play* (games)
gridare *to shout*
invitare *to invite*
trattare (di) *to deal (with)*

Altre espressioni utili

Buon Natale! *Merry Christmas!*
Buon Anno! *Happy New Year!*
... sono scritte le parole *... are written the words*

altrettanto a Lei *the same to you*
e così via *and so on*

Negative expressions

As you have already seen, the simple negative is formed by putting the word **non** in front of the verb. The following ways of expressing the negative are slightly more complicated. Some of the forms are what we call a double negative but these do not make a positive.

Non ... che	**Non** ho **che** cento lire. *I have only a hundred lire.*
Non ... niente	**Non** ho **niente**. *I have nothing (or I haven't anything).*
Non ... nulla	**Non** ho **nulla**. *I have nothing (or I haven't anything).*
Non ... nessuno	**Non** c'è **nessuno** alla porta. *There is no one at the door.*
Non ... mai	Maria **non** viene **mai**. *Maria never comes.*
Non ... nè ... nè	**Non** ho **nè** zii **nè** zie. *I have neither uncles nor aunts.*
Non ... affatto	Il tempo **non** è **affatto** bello. *The weather isn't at all nice.*

Sometimes, the second part of the negative comes in front of the verb instead of behind. In such cases the word 'non' is not used e.g.

Nessuno viene. *No one comes.*

NB **Nessuno** is sometimes used as an adjective in which case its ending follows the pattern of that of the Indefinite Article e.g.

Non ho ness**un** libro. *I have no book.*

Non c'è ness**uno** specchio in questa camera.
There is no mirror in this room.

Non c'è ness**una** chiesa in questa strada.
There is no church in this road.

Adverbs (avverbi)

Adverbs are words which qualify, or add to the meaning of, adjectives or verbs. Unlike adjectives, adverbs NEVER vary their endings. There are adverbs of manner, time, place, degree, etc. telling us *how, when, where, to what degree*, etc. You will understand this better by looking at the following examples:

Lucia cammina **rapidamente** lungo la strada. *Lucia walks rapidly along the road.* (MANNER)
Il cameriere viene **subito**. *The waiter comes immediately.* (TIME)
Lui abita **lontano** dalla stazione. *He lives far from the station.* (PLACE)

In the above examples, the adverb qualifies the verb but in the following examples it qualifies an adjective:

Questo vino è **molto** buono. *This wine is very good.* (DEGREE)
Questo vino è **particolarmente** buono. *This wine is particularly good.* (DEGREE)

It should be noted that when words such as **molto, poco, quanto** are used to qualify adjectives (or adverbs), they do not change their endings.
Many adverbs, particularly adverbs of manner, can be formed very simply by adding **-mente** to the feminine form of an adjective, e.g.:

	MASCULINE ADJECTIVE	FEMININE ADJECTIVE	ADVERB
sincere	sincero	sincera	sinceramente *sincerely*
slow	lento	lenta	lentamente *slowly*
fluent	corrente	corrente	correntemente *fluently*
easy	facile	facile	facilmente *easily*
special	speciale	speciale	specialmente *specially*

preceded by a vowel

If the adjective ends in **-le** or **-re** the final **e** is dropped before adding **-mente** e.g.

specialmente   particolarmente

Here are two verbs, both of which are used for 'to know'

CONOSCERE	SAPERE
conosco	so
conosci	sai
conosce	sa
conosciamo	sappiamo
conoscete	sapete
conoscono	sanno

Conoscere is usually used for *to know* persons or places, and **sapere** is used for *to know a fact* or *to know how to do something* e.g.

Conosco il signor Negri. *I know Mr. Negri.*
Conosciamo Venezia molto bene. *We know Venice very well.*
Non so chi è alla porta. *I don't know who is at the door.*
Non sappiamo dove andare. *We don't know where to go.*
Chi sa? (*or* Chissà?) *Who knows?*
Non lo so. *I don't know (it).*
Non so scrivere in cinese. *I cannot (do not know how to) write in Chinese.*
Lui non sa nè leggere nè scrivere. *He can neither read nor write.*
He doesn't know how to read or write.

Esercizi

1 Rispondete in italiano alle seguenti domande:

a Com'è di solito il clima d'Italia?
b Com'è il tempo d'inverno a Milano?
c Nevica spesso in Sicilia?
d Le piace la neve?
e Che fanno i ragazzi quando nevica?
f Cosa cerca la signora Negri quando va in giro per le botteghe?
g Conosce Lei una famiglia italiana?
h Chi invia dei cartoncini di Natale alla famiglia Negri?
i Sa parlare francese Lei?
j Sa ballare Lei?
k Quando ha luogo la festa di Natale?
l Chi aiuta la signora Negri a decorare la sala da ballo?
m Dove ha luogo il ballo?
n Chi bacia le ragazze?
o Perchè sono allegri tutti?
p Dove sta Filippo?
q Filippo ha paura delle signorine. Perchè?
r Lei conosce qualcuno che abita a Milano?
s Il signor Negri lavora fino a tardi. Perchè?
t Cosa scriviamo sui cartoncini di Natale?

2 Traducete in inglese le seguenti frasi:
a Il ballo ha luogo ogni venerdì.
b Andiamo a casa perchè abbiamo freddo.
c Vado a letto perchè ho sonno.
d Lei ha ragione; non c'è nessuno alla porta.
e Il cane mangia il suo osso perchè ha fame.
f È gia buio e abbiamo paura.
g Carlo compra una limonata perchè ha sete.
h Noi abbiamo ragione e loro hanno torto.
i Lucia apre le finestre perchè ha caldo.
j Ho fretta perchè sto per prendere il treno.
k Conosco molto bene questa città.
l Lei conosce la mia amica, non è vero?
m Sai dove siamo?
n Non so ballare.
o Sanno parlare inglese? Non lo so.
p Sappiamo dove andiamo.
q Non conosciamo affatto questi signori.
r Conoscono il ristorante che si trova vicino alla stazione.
s Come si chiama lui? Chissà!
t Non conosco questo paese perchè sono straniero. (paese *country,
   village, land, district*)

3 Make up SENTENCES in the NEGATIVE using the following:

non ... che   non ... mai
non ... niente   non ... nè ... nè
non ... nulla   non ... affatto
non ... nessuno

4 Make an ADVERB from the following ADJECTIVES, then use each
   ADVERB in a SENTENCE in Italian:

allegro   debole
completo   inutile
fortunato   particolare
rapido   generale
personale   sincero

Lezione decima

Revisione

1 Put the correct form of the DEFINITE ARTICLE in front of the following nouns then change both noun and article into the correct PLURAL form:

ragazzo	classe	fratello	autobus
ragazza	madre	persona	treno
studentessa	mano	passo	macchina
studente	Americano	scialle	oliva
zio	sport	amica	libro

2 Read, or write out in full, the following CARDINAL NUMERALS:

1, 7, 10, 14, 17, 18, 20, 25, 28, 30, 35, 41, 58, 60, 67, 72, 86, 99, 100, 101, 154, 278, 415, 633, 999, 1.000, 1.200, 1.964, 2.000.

3 Put the correct form of the INDEFINITE ARTICLE in front of the following NOUNS:

telefono	studente	zero	radio
uomo	figlio	specchio	penna
signora	mano	orologio	studentessa
amica	Italiano	regalo	libro
giorno	Americana	automobile	arancia

4 Insert the correct form of the verb AVERE (*to have*):

a Io .... un gran desiderio di andare in Italia.
b Carlo .... cento lire ma il suo amico non .... niente.
c Noi .... un piccolo cane.
d – Quanti soldi .... tu? chiede Carlo.
e I miei genitori .... una bella casa.

5 Insert the correct form of ESSERE (*to be*):

a Io .... inglese ma il mio amico .... francese.
b Noi .... studenti.

c   Tu .... un ragazzo cattivo.
d   Anna e Lucia .... amiche.
e   Voi .... in ritardo.

6   Translate the following sentences into English:

a   Desidero andare in Italia con il mio amico.
b   Non mi piace il caffè; preferisco il tè.
c   Il postino bussa alla mia porta e consegna le lettere.
d   Lavoriamo in città ma andiamo a casa a mezzogiorno.
e   Quando arrivano sul palcoscenico cominciano a cantare.
f   Tu sei un ragazzo cattivo; non ascolti mai.
g   Scrivo una lettera ai miei amici in Inghilterra.
h   Come si chiama il giornale che legge Lei?
i   Mettiamo i bei fiori nel vaso di Lucia.
j   Comprano i loro biglietti e li danno alla maschera.

7   Finish off the following sentences with an appropriate colour:

a   Il cielo è ....
b   L'erba è ....
c   Le mie scarpe sono ....
d   Le mele sono ....
e   Le banane sono ....
f   La neve è ....
g   Il sole è ....
h   Il mio gatto è ....
i   Le pere sono ....
j   I fazzoletti sono ....

8   In the following sentences, complete the contraction of the PRE-
    POSITION and DEFINITE ARTICLE which are given in brackets then
    translate the sentences into English:

a   La porta (di ... la) casa è dipinta di verde.
b   Lucia mette un francobollo rosso (su ... il) pacco.
c   Il teatro (a ... il) centro (di ... la) città è molto bello.
d   Ci sono venti studenti (in ... la) classe (di ... il) professore.
e   Io vengo (da ... la) casa (su ... la) montagna.
f   Il postino dà le lettere (a ... la) madre (di ... i) ragazzi.
g   Il cugino (di ... gli) studenti scrive (in ... i) loro libri.
h   (Su ... il) piatto c'è un bel pollo.
i   Il padrone (di ... il) negozio versa il vino (in ... la) bottiglia.
    (versare   to pour)
j   Lucia scrive una lista (di ... le) cose che desidera comprare (a ... il)
    negozio.

9   QUESTO (meaning *this*) and QUESTI (meaning *these*) are DEMON-STRATIVE ADJECTIVES and change their ending according to the gender of the noun which follows e.g.

questo ragazzo	questi ragazzi
questa ragazza	queste ragazze
quest'uomo	questi uomini
quest'arancia	queste arance

Note that *questo* and *questa* drop the final vowel and take an apostrophe in front of a singular word beginning with a vowel. *Questi* and *queste* do not drop the final vowel when the noun which follows begins with a vowel.

Say, or write, the following in Italian:

this book	these books
this family	these families
this student	these students
this class	these classes
this moment	these moments
this letter	these letters
this orchestra	these orchestras
this year	these years
this knife	these knives
this bar	these bars

NB The full regular forms, QUESTO, QUESTA, QUESTI and QUESTE, are used without a following noun as DEMONSTRATIVE PRONOUNS meaning *this, this one* and *these*. The Pronoun must agree in gender and number with the noun it is replacing e.g.

Tutte queste cravatte sono belle ma preferisco **questa**.
All these ties are nice but I prefer this one.

10   QUELLO (meaning *that*) and QUELLI (meaning *those*) are also DEMONSTRATIVE ADJECTIVES and you will remember that the ending in front of a noun follows the pattern of that of the Definite Article. Say, or write, in Italian:

that boy	those boys
that cup	those cups
that student	those students
that flower	those flowers
that uncle	those uncles
that animal	those animals
that man	those men
that voice	those voices
that year	those years
that olive	those olives

NB The full regular forms, QUELLO, QUELLA, QUELLI and QUELLE, are used without a following noun as DEMONSTRATIVE PRONOUNS meaning *that, that one* and *those*. The Pronoun must agree in gender and number with the noun it is replacing e.g.

Queste sono le mie scarpe.   Di chi sono **quelle**?
These are my shoes.   *Whose are those?*

11   Rispondete in italiano:

a   Che tempo fa oggi?
b   Qual è la data d'oggi?
c   Sono biondi gli Italiani?
d   Che cosa prendiamo in una tazza?
e   Che cosa prendiamo in un bicchiere?
f   Che cosa porta il postino?
g   Cosa fa Lei quando ha un po' di tempo disponibile?
h   Dove lavora Lei?
i   Quando andiamo in un paese straniero per le vacanze, che cosa mandiamo ai nostri amici?
j   Cosa facciamo quando fa caldo?
k   Dove mangiamo di solito?
l   Dove dormiamo?
m   In che cosa consiste la mobilia in una camera da letto?
n   Cosa preferisce fare Lei la sera?
o   Dove andiamo quando desideriamo comprare qualche cosa?
p   Con che cosa scriviamo?
q   Che cosa troviamo nella strada principale d'una città?
r   Come sta Lei, oggi?
s   Qual è il numero della Sua casa?
t   Qual è la data del Suo compleanno?

12   Finish off the following sentences with a few more words including a noun qualified by a suitable adjective e.g.

In questa classe ci sono ....
In questa classe ci sono *degli studenti intelligenti.*

a   In giardino ....
b   Non mi piace ....
c   Sulla tavola ....
d   Il mio amico ....
e   In quel negozio..
f   Ogni sabato incontro ....
g   In Italia..
h   In salotto ....
i   Lucia porta ....
j   Non mi piacciono..

k   A primavera ....

l   D'estate ....

m   In autunno ....

n   In inverno ....

o   Quando la lezione è finita ....

13 In front of each of the following sentences a verb is given in the INFINITIVE. Put the correct form of this verb in the space provided, then translate the sentence into English:

a   (parlare) Lei .... italiano molto bene. Io .... francese abbastanza bene ma non so .... tedesco.

b   (lavorare) Io .... in ufficio, dove .... Lei?

c   (ascoltare) Tu sei un cattivo studente. Non .... mai.

d   (invitare) Qualche volta noi .... i nostri amici.

e   (aspettare) Noi .... il treno e voi .... l'autobus.

f   (lavare) I ragazzi .... la macchina del babbo.

g   (scrivere) Io .... con una penna stilografica ma voi .... con una penna a sfera.

h   (mettere) Quando fa freddo noi .... le coperte di lana sul letto.

i   (vedere) Lucia va alla finestra e .... gli uccelli in giardino.

j   (prendere) Gli uccelli .... il pane e lo mangiano.

k   (vendere) Il padrone del negozio .... ogni tipo di vino.

l   (conoscere) Tu non .... il mio amico. Si chiama Luigi.

m   (aprire) Quando riceviamo dei pacchi, li ....

n   (sentire) Io .... la voce del professore ma non capisco cosa dice perchè parla rapidamente.

o   (dormire) Tu .... sempre quando è ora di andare a scuola.

p   (seguire) Quando la signora va in giardino il suo gatto la ....

q   (capire) Quando gli stranieri parlano così rapidamente io non li ....

r   (pulire) Ogni mattina noi .... le scarpe.

s   (preferire) I vini francesi mi piacciono ma .... i vini italiani.

t   (finire) I ragazzi .... la prima colazione in fretta e vanno a scuola.

14 Rispondete in italiano:

a   Dove va Lei per le vacanze d'estate?

b   Da dove viene Lei?

c   Cosa facciamo quando abbiamo sonno?

d   Quale giornale preferisce?

e   Dove compriamo i fiori?

f   Dove mettiamo i fiori?

g   Di che colore è la neve?

h   Compra Lei qualche volta una bottiglia di vino?

i   Quante lettere riceve Lei in una settimana?

j   Quante lingue straniere parla Lei?

k   Ha un giardino Lei?
l   Di che colore è la porta della Sua casa?
m   Cosa mettiamo in una busta?
n   Conosce un buon ristorante? Come si chiama?
o   Quali sono i giorni della settimana?
p   Quali sono le stagioni dell'anno?
q   È caldo il ghiaccio?
r   Le piacciono le banane?
s   Le piace la marmellata?
t   Dov'è l'università più vicina?

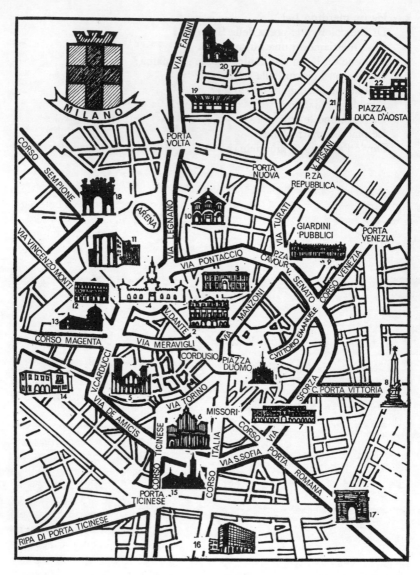

1. Duomo   2. Teatro alla Scala   3. Palazzo di Brera   4. Castello Sforzesco
5. Basilica di Sant'Ambrogio   6. Basilica di San Lorenzo   7. Antico Ospedale
Sforzesco   8. Monumento Cinque Giornate   9. Galleria d'Arte Moderna
10. Basilica di San Simpliciano   11. Palazzo dell'Arte al Parco   12. Stazione
Ferroviaria Nord   13. Santuario di Santa Maria delle Grazie   14. Museo
Nazionale della Scienza e della Tecnica   15. Basilica Sant'Eustorgio   16.
Università Commerciale   17. Arco di Porta Romana   18. Arco della Pace
19. Stazione Porta Garibaldi   20. Chiesa Santa Maria alla Fontana   21.
Grattacielo Pirelli   22. Stazione Centrale

Milano

Rita e Teresa sono due signorine italiane. Tutte e due sono dattilografe e lavorano nello stesso ufficio d'una ditta commerciale di Milano. Il personale della ditta comprende il principale, i direttori, il segretario, il cassiere, il capo-ufficio, le dattilografe e gli altri impiegati. Rita e Teresa sono amiche e frequentano dei corsi serali per imparare delle lingue straniere. Fanno così perchè vogliono passare le vacanze estive all'estero.

Milano, spesso chiamata il cuore ed il cervello dell'Italia Settentrionale, è una grande città industriale e commerciale e ha circa 1.280.000 (un milione duecentoottantamila) abitanti. Milano si trova nella regione che si chiama Lombardia. Questa bella regione è situata in una vasta zona fertile. Le strade della Lombardia sono fiancheggiate da gelsi e campi di granturco, riso e frumento.

A Milano ci sono tante fabbriche con macchinari moderni. Un gran numero di operai lavora in questi stabilimenti. Ognuno sa fare il proprio mestiere ma la maggior parte del lavoro è affidato a macchine azionate da elettricità, gas o vapore. I commercianti tengono le loro merci in grandi magazzini prima di consegnarle ai loro clienti.

Al centro della città si trova la Piazza del Duomo con la sua maestosa cattedrale di marmo. Ad occhio e croce, il duomo è alto 100 metri, largo 60 metri e lungo 160 metri. Sul tetto e sui muri ci sono 135 guglie e più di 2.000 statue. Dentro al duomo ci sono anche tombe, monumenti, statue e oltre 50 colonne.

A pochi passi dalla Piazza del Duomo c'è il Corso Vittorio Emanuele dove si trovano molti bei negozi. Quasi tutte le strade di Milano sono larghe e diritte e con l'aiuto di una buona pianta della città si possono trovare facilmente i numerosi musei, gallerie d'arte, chiese, biblioteche e la stazione ferroviaria centrale. Si può passare qualche ora tranquilla nei Giardini Pubblici o negli altri parchi. All'Ufficio Postale si possono comprare dei francobolli e si può telefonare, inviare telegrammi o lettere raccomandate.

A Milano c'è anche un enorme stadio dove vanno i tifosi a vedere un incontro di calcio fra due squadre di calciatori. Il gioco del calcio è molto popolare e lo stadio è affollato di spettatori che seguono con gli occhi attentamente il pallone, i giocatori e l'arbitro. L'arbitro, elegante nella sua bella tenuta nera, corre dappertutto con il fischio in bocca e agita le mani in aria. I tifosi gridano e battono le mani quando la squadra prediletta segna un gol ma danno tutta la colpa al povero arbitro se la loro squadra non vince.

Il gioco del calcio non piace a Rita e Teresa che vanno invece in città. Ogni sabato, verso le due del pomeriggio, entrano in un piccolo caffè e prendono un caffè espresso o un cappuccino. Nel caffè, fanno i loro progetti e poi escono in cerca delle cose che sono all'ultima moda ma che non costano troppo. Naturalmente, se riescono a trovare qualcosa a buon mercato ne sono proprio contente perchè devono risparmiare per le vacanze all'estero.

Present indicative of more irregular verbs

USCIRE (*to go out*)	TENERE (*to hold, to keep*)	DIRE (*to say, to tell*)
esco	tengo	dico
esci	tieni	dici
esce	tiene	dice
usciamo	teniamo	diciamo
uscite	tenete	dite
escono	tengono	dicono

Conjugated exactly like **uscire** is RIUSCIRE (*to succeed*)
NB *to succeed in doing something,* riuscire a fare qualcosa.

Conjugated exactly like **tenere** are the verbs:
OTTENERE   *to obtain*
MANTENERE   *to maintain*
RITENERE   *to retain*
SOSTENERE   *to sustain*

Vocabolario

NOMI MASCHILI	NOMI FEMMINILI
abitante *inhabitant*	biblioteca *library*
aiuto *help, assistance*	bocca *mouth*
arbitro *referee*	colonna *column*
arte *art*	colpa *fault, blame*
caffè espresso *black coffee*	ditta *firm*
('expressly' made)	elettricità *electricity*
calciatore *footballer*	fabbrica *factory*
calcio *football* (the game)	galleria *arcade, gallery*
campo *field*	guglia *spire*
capo-ufficio *chief clerk*	industria *industry*

cappuccino *'espresso' with milk*
cassiere *cashier, treasurer*
cattedrale *cathedral*
cervello *brain*
cliente *client*
commerciante *merchant, trader*
commercio *commerce*
cuore *heart*
dattilografo (-a) *typist*
duomo *cathedral*
estero (-all') *abroad*
fischio *whistle*
frumento *wheat*
gas *gas*
gelso *mulberry tree*
giocatore *player*
gioco *game*
gol *goal*
granturco *maize, Indian corn*
impiegato (-a) *clerk, employee*
incontro *match* (sport etc.)
lato *side*
macchinario *machinery*
magazzino *warehouse, large shop*
marciapiede *pavement*
marmo *marble*
mercato *market*
mestiere *trade, profession*
metro *metre*
monumento *monument*
muro *wall*
museo *museum*
ognuno *everyone, each one*
operaio *workman*
parco *park*
personale *personnel*
pomeriggio *afternoon*
principale *principal, head, chief*
pallone *football* (actual ball)
progetto *plan, project*
riso *rice*
segretario (-a) *secretary*
spettatore *spectator*
stabilimento *works, establishment*
stadio *stadium*
tifoso *fan* (sport etc.)

merce *goods*
  (le merci: often used in the plural)
moda *fashion*
parte *part*
pianta *plan, map*
regione *region*
squadra *team, squad*
statua *statue*
stazione ferroviaria *railway station*
tenuta *uniform*
tomba *tomb, grave*
zona *zone*

AGGETTIVI
centrale *central*
commerciale *commercial*
diritto *straight*
enorme *enormous*
estivo *summer*
fertile *fertile*
fiancheggiato *flanked*
industriale *industrial*
maestoso *majestic*
maggiore *greater, major, elder*
largo *wide*
numeroso *numerous*
popolare *popular*
prediletto *favourite*
proprio. *own, proper*
pubblico *public*
raccomandato *registered*
serale *evening*
  (corsi serali *evening classes*)
situato *situated*
vasto *vast, wide*

VERBI
agitare *to wave, to stir*
frequentare *to attend*
imparare *to learn*
inviare *to send*
risparmiare *to save*
segnare *to score, to mark*
telefonare *to telephone*
battere *to beat*
battere le mani *to clap* (hands)
comprendere *to include, to comprehend*

Ufficio Postale   *Post Office*
vapore   *steam, vapour*

attentamente   *attentively*
circa   *about*
insieme   *together*
naturalmente   *naturally*
oltre   *more than, beyond*
troppo   *too much*

correre   *to run*
vincere   *to win*

Altro vocabolario
affidato   *entrusted*
affollato   *crowded*
azionato   *worked, operated*
fatto   *made, done*
occupato   *occupied*
operato   *operated, worked*
prediletto   *favourite*
ad occhio e croce   *at a rough estimate*
a buon mercato   *cheap*

Here are three more irregular verbs

DOVERE (*to have to, to be obliged to, to owe*)

devo (*or* debbo) { *I have to, I am obliged to* / *I must* / *I owe*

devi
deve
dobbiamo
dovete
devono (*or* debbono)

VOLERE (*to want*)   POTERE (*to be able to*)

voglio   *I want*   posso { *I am able to* / *I can*

vuoi   puoi
vuole   può
vogliamo   possiamo
volete   potete
vogliono   possono

The three verbs given above can be used on their own like any other verb
e.g.

Devo tre sterline a questa signora.   *I owe this lady three pounds.*
Vogliamo due fasci di fiori.   *We want two bunches of flowers.*

Or they can be used as AUXILIARIES immediately in front of an INFINITIVE
e.g.

Adesso devo andare.   *Now I must go.*
Non posso uscire stasera.   *I cannot go out tonight.*
Voglio partire subito   *I want to leave immediately.*

You will see that POTERE (like SAPERE which you have already learned)
translates the English *can*. POTERE denotes physical possibility but
SAPERE denotes a skill which has been learned or practised e.g.

Non posso leggere questo libro; i miei occhiali sono a casa.
I cannot read this book; my glasses are at home.
So leggere in italiano adesso ma non so leggere in cinese.
I can read in Italian now but I cannot read in Chinese.

Interrogative pronouns

You will remember that, when asking a question:

chi? *who?*
che? ⎫
che cosa? ⎬ *what?*
cosa? ⎭
quale? *which?* (or *which one?*)

all of the above may have a PREPOSITION in front e.g.
A chi devo inviare questa lettera? *To whom must I send this letter?*
Con chi andiamo a teatro? *With whom are we going to the theatre?*
Di chi è questa penna? *Whose (of whom) is this pen?*
Con che cosa scriviamo? *With what do we write?*
Con quale di queste persone vuole parlare? *To which of these persons do you want to speak?*

All the above Interrogative Pronouns can be used in INDIRECT QUESTIONS
e.g.
Voglio sapere chi è alla porta. *I want to know who is at the door.*
Non so che cosa vogliono. *I do not know what they want.*

NB There is also a use of **chi** which is not Interrogative when **chi** means:
he who or *the one who* or *those who* e.g.
Chi non studia non impara. *He who does not study does not learn.*
Chi ha soldi ha amici. *Those who have money have friends.*

The relative pronoun 'che'

The Relative Pronoun **che** is used to translate the English Relative Pronouns: *who, whom, which, that* e.g.
La donna che cammina lungo la strada è molto ricca.
The woman who is walking along the road is very rich.

La bionda che incontro ogni mattina lavora nel mio ufficio.
The blonde whom I meet every morning works in my office.

Quella casa, che non è occupata, ha un bel giardino.
That house, which is not occupied, has a nice garden.

Il libro che leggo è molto interessante.
The book that I am reading is very interesting.

NB We often omit the Relative Pronoun in English but you must NEVER omit it in Italian. Be careful never to use **chi** as a Relative Pronoun. You may be tempted to, particularly if you have studied French. **Che** serves as both Subject and Object.

Ambedue, tutti e due, troppo

The word *both* can be translated by **ambedue** or **tutti e due**: **ambedue** never changes its ending but 'tutti e due' is used when the parties are masculine or of mixed gender and 'tutte e due' is used when both parties are feminine. **tutti e tre, tutti e quattro** ecc. *all three, all four* etc.

troppo (*too, too much, too many*): used as an adverb it is invariable but when used as an adjective its ending varies like that of other adjectives:

troppo vino   troppa gente   troppi libri   troppe lettere

Plural of words ending in -io

As a rule, if the stress is on the **i** in the ending -**io**, the plural ends in -ii e.g.

zio	zii	pendio	pendii	mormorio	mormorii
uncle	*uncles*	*slope*	*slopes*	*murmur*	*murmurs*

If the stress is NOT on the **i** in the ending -io, the final -o is dropped in the plural e.g.

grigio – grigi   specchio – specchi   figlio – figli

Placing of Direct Object Pronouns 'lo', 'la', 'li' and 'le' after Infinitives

You will remember that the Direct Object Pronouns are normally placed in front of the verb. Used in conjunction with an Infinitive, however, they are usually tagged on to the end of it and the Infinitive loses its final vowel in the process e.g.

Questa è una bella casa. **La** vedo ogni mattina. Voglio comprar**la**.
This is a nice house. I see it every morning. I want to buy it.

Geographical locations

nord	*north*		il nord	*the North*
sud	*south*		il sud	*the South*
est	*east*		l'est	*the East*
ovest	*west*		l'ovest	*the West*

nell'Inghilterra del nord	*in the North of England*
nell'Africa del sud	*in the South of Africa*
al sud	*in the South*
all'ovest	*in the West*

Italy has special names for its three parts:

Italia Settentrionale	*Northern Italy*
Italia Centrale	*Central Italy*
Italia Meridionale	*Southern Italy*

Each part is divided up into regions. There are 20 regions. One of these, **la regione di Lombardia,** is mentioned in the reading passage. The regions are sub-divided into provinces (**provincie**).

Linear measure

The units of Italian linear measure are:

un centimetro	*a centimetre*
un metro	*a metre*
un chilometro	*a kilometre*

Approximate conversions are as follows:

2½ centimetri	*1 inch*
1 metro	*39 inches*
1 chilometro	*five-eighths of a mile*

Thus, instead of asking for *a yard of material* or *two yards of nylon*, you would ask for **un metro di stoffa** or **due metri di nailon**. Distances on milestones are given in **chilometri**, often shortened to **Km**. To convert **chilometri** to *miles*, multiply by five then divide by eight.

Asking the way

You will find the following expressions useful:

Mi scusi, signore, sa indicarmi la strada che porta al duomo?
Excuse me, sir, can you show me the road which leads to the cathedral?

Sì, senz'altro, è la seconda strada a sinistra.
Yes, certainly, it is the second road on the left.

Qual è la strada per il museo?
Which is the road to the museum?

Occorre andare sempre diritto e voltare a destra al semaforo.
You should keep straight on and turn right at the traffic lights.

Dove si trova la stazione ferroviaria, per piacere?
Where is the railway station, please?

È al di là del fiume. Occorre attraversare il ponte.
It is on the other side of the river. You should go across the bridge.

Dove si trovano i Giardini Pubblici?
Where are the Public Gardens?

Si trovano vicino alla piazza.
They are near the square.

(Note use of **si trova** and **si trovano** for *is* and *are* meaning *is located* and *are located*)

Mi può indicare quale autobus va alla piazza?
Can you tell me which bus goes to the square?

Deve prendere l'autobus numero dodici.
You should get the number 12 bus.

Dov'è la fermata dell'autobus, per favore?
Where is the bus stop, please?

È qui (*or* È qua).	È lì (*or* È là).
It's here.	*It's there.*

Qual è l'entrata al museo?
Which is the entrance to the museum?
L'entrata è davanti al museo. Questa è l'uscita.
The entrance is in front of the museum. This is the exit.
Dove posso trovare un buon ristorante?
Where can I find a good restaurant?
Ce n'è uno a pochi passi; dietro al Teatro dell'Opera.
There is one (of them) a few steps away; behind the Opera House.

Esercizi

1 Write about 100 words in Italian about your town or any town you know.

2 Use each of the following verbs in a sentence. Unless you are using the Infinitive form as given below, be sure to put the verb in its correct form.

sapere   conoscere   dovere   volere   potere
tenere   uscire   andare   venire   dire

3 Replace the English words in brackets by the appropriate Interrogative Pronoun or Relative Pronoun. Remember that *whose?* is **di chi?**

a (*Who*) è alla porta?
b (*Whose*) sono questi guanti?
c (*What*) vuole Lei?
d A (*whom*) inviamo questa cartolina?
e (*Which*) di questi libri posso prendere?
f A (*which*) di queste persone devo scrivere?
g Con (*whom*) va in Italia?
h In (*which*) di questi libri c'è la lezione?
i (*He who*) non ha soldi non può comprare niente.
j L'uomo (*who*) aspetta accanto al monumento porta un fascio di fiori.
k La signora (*whom*) vediamo in quel negozio viene qui ogni giorno.
l Le case, (*which*) sono occupate da due vecchie signore, sono dipinte di rosso.
m Il cappello (*that*) porta Lei è molto elegante.
n Le strade (*that*) portano alla stazione sono affollate.

4 Translate the completed sentences from Exercise 3 into English.

5 Imagine that you are in an Italian city and, having left your map in the hotel, you cannot find a particular place or building you are looking for. You see a friendly-looking Italian and decide to ask him the way. Compose an imaginary dialogue. If you are in class, carry out the dialogue orally with another student. Your teacher will suggest some places to look for.

Lezione dodicesima

Una conversazione in città

La campana della chiesa suona le due. Il sole brilla e fa bel tempo. Teresa aspetta Rita all'angolo della strada. Teresa ha preparato una lista delle cose che vuole comprare in città e l'ha messa nella borsetta. Ad un tratto, Teresa vede il signor Rossi, un conoscente di suo padre, dall'altra parte della strada. Il signor Rossi è un uomo d'affari e ha l'ufficio a un centinaio di metri dalla piazza in una via piuttosto stretta ma tranquilla. Vede Teresa e attraversa la strada in fretta.

   – Buon giorno, signorina. Come sta?

   – Buon giorno, signor Rossi. Che piacere rivederla! Sto bene, grazie, e Lei?

   – Non c'è mica male, grazie. E come sta la famiglia?

   – Stanno bene tutti quanti. Mio padre ha comprato una nuova automobile e ha venduto la nostra vecchia macchina a un amico.

   – Ah! Che combinazione! Ho una macchina nuova anch'io. Abbiamo dovuto aspettarla tre mesi ma finalmente abbiamo ricevuto il modello che ci conviene. Oggi, però, l'ho lasciata nel garage perchè, al giorno d'oggi, la circolazione è così intensa che è molto difficile parcheggiare al centro della città.

   – Eh già. Mio padre è della stessa opinione.

(In quel momento arriva Rita.)

   – Ciao, Teresa! Non sono troppo in ritardo, spero.

   – Ma no. Non fa niente. Ho preferito aspettare fuori al sole, oggi.

Non conosci il signor Rossi, un amico di mio padre? Signor Rossi, mi permetta di presentarle la mia amica, Rita.

   – Molto piacere, signor Rossi.

   – Sono molto lieto di conoscerla. Ma avete molto da discutere, senza dubbio, ed io devo scappare adesso perchè ho un appuntamento con un cliente importante. Il mio capo mi ha pregato d'incontrarlo alla stazione. Tanti saluti a casa, Teresa. Arrivederci! (e a Rita) Arrivederla!

– Allora, Rita, hai delle buone notizie? Che c'è di nuovo? Hai ricevuto qualche risposta dall'agenzia turistica?

– Sì. Come sai, vi ho inviato un'altra lettera e oggi il postino ha portato la risposta insieme a un opuscolo ed alcuni manifesti. Il proprietario dell'albergo ha mandato anche una carta geografica.

– Bene! Vuoi portarli a casa mia stasera?

– Sì. Senz'altro. Hai ricevuto il passaporto?

– Non ancora. Mamma mia! Quelle brutte fotografie che ho dovuto presentare non mi piacciono per niente. Ma che cosa hai sotto il braccio?

– Ho comprato un nuovo costume da bagno.

– Ah sì? Di che tipo è? Hai comprato un bikini?

– No. Non ho osato comprare un costume a due pezzi.

– Sei troppo modesta. I bikini sono ancora molto popolari.

– Hai comprato il tuo costume da bagno?

– Sì. L'ho comprato in quella bottega dove Nina fa la commessa. Non l'ho pagato molto a dire la verità. Soltanto 4.500 lire. Non è un costume meraviglioso ma posso cambiarlo se non mi piace.

– Vuoi cercare qualcosa di particolare oggi?

– Sì. Ho bisogno di tante cose e non ho dimenticato la mia lista oggi. Ma abbiamo parlato troppo. Andiamo, dunque?

– Sì. Andiamo!

Espressioni utili

eh già! *quite so! indeed!*
ad un tratto *all at once*
non fa niente *it doesn't matter*
in quel momento *at that moment*
senz'altro *certainly*
a proposito *by the way*
Mamma mia! *Goodness me!*
andiamo, dunque? *shall we go then?*
non c'è mica male *not so bad at all*
qualcosa di particolare *something in particular*
mi permetta di presentarle ... *Allow me to introduce to you ...*
molto piacere *How do you do?* (when being introduced, literally: *much pleasure*)
fare la commessa *to work as a shop assistant*
tanti saluti a casa! *best wishes to all at home!*
che piacere rivederla! *what a pleasure to see you again!*
Arrivederla! *Good-bye* (sometimes used politely instead of *Arrivederci!* when addressing one person only, either masculine or feminine)
Non mi piacciono per niente *I don't like them at all*

tutti quanti *all of them*
che combinazione! *what a coincidence!*
al sole *in the sunshine*
senza dubbio *without a doubt*
al giorno d'oggi *in these days*
che c'è di nuovo? *what's new?*

Vocabolario

NOMI MASCHILI

affare *affair, matter, item of business*
affari *business*
   (uomo d'affari *business man*)
*albergo *hotel*
appuntamento *appointment*
bisogno *need*
centinaio *hundred*
   (*irr. fem. plural – centinaia*)
commesso (-a) *shop assistant*
costume da bagno *bathing suit*
manifesto *leaflet*
modello *model*
opuscolo *brochure*
passaporto *passport*
piacere *pleasure*
proprietario *proprietor*

  * a small private hotel in Italy is called *una pensione.*

AGGETTIVI

difficile *difficult*
importante *important*
intenso *intense*
lieto *happy*
meraviglioso *marvellous*
modesto *modest*
stretto *narrow, tight*

NOMI FEMMINILI

agenzia turistica *tourist agency*
campana *bell* (large)
carta geografica *map*
circolazione *traffic*
notizia *news item*
notizie (plural) *news*
opinione *opinion*
risposta *reply, answer*
verità *truth*
via *street, way, route*

VERBI

attraversare *to cross*
cambiare *to change, to exchange*
cercare *to search, to look for*
dimenticare *to forget*
osare *to dare*
parcheggiare *to park* (vehicle)
pregare *to beg, to pray*
preparare *to prepare*
scappare *to run off, to escape, to flee*
sperare *to hope*
rivedere *to see again*
discutere *to discuss, to argue*
†convenire *to suit, to be convenient*

  † conjugated like *venire*

Altro vocabolario

Allora? *Well?*
finalmente *finally*

però *however, though*
soltanto *only*

More direct object pronouns

You have already studied the Direct Object Pronouns **lo, la, li, le.** Here they are again, this time in a complete list:

SUBJECT PRONOUN	DIRECT OBJECT PRONOUN	
io	**mi**	*me*
tu	**ti**	*you* (sing. intimate form)
egli, lui, esso	**lo**	*him, it* (masc.)
ella, lei, essa	**la**	*her, it* (fem.)
Lei	**La**	*you* (masc. and fem. polite form)
noi	**ci**	*us*
voi	**vi**	*you* (plural intimate form)
essi, loro	**li**	*them* (masc. plural)
esse, loro	**le**	*them* (fem. plural)
Loro	**Li**	*you* (masc. plural polite form)
Loro	**Le**	*you* (fem. plural polite form)

e.g. Io **lo** vedo. *I see him.*
Lui **mi** vede. *He sees me.*
La ringrazio. *I thank you.*
Ti amo. *I love you.*
I nostri amici **ci** incontrano (*or* **c'**incontrano). *Our friends are meeting us.*

NB **lo** and **la** (and sometimes **mi, ti, ci** and **vi**) drop the vowel and take an apostrophe before a verb beginning with **h** or a vowel, but **ci** only becomes **c'** before **e** and **i**.

Formation of the past participle (participio passato)

In the following English constructions, the PAST PARTICIPLE is printed in italics:

I have *talked*   He has *knocked*   We have *worked*

These are regular and have the characteristic ending *-ed*. We also have irregular Past Participles in English such as:

I have *run*   He has *told*   We have *spoken*

In Italian, too, many Past Participles are regular and are formed by adding **-ato, -uto** or **-ito** to the stem of the Infinitive as follows:

1ST CONJUGATION
Examples: **parl-are: parl-ato**   **buss-are: buss-ato**

2ND CONJUGATION
Examples: **av-ere: av-uto**   **vend-ere: vend-uto**

3RD CONJUGATION
Examples: **dorm-ire: dorm-ito**   **cap-ire: cap-ito**

These are also irregular Past Participles in Italian. These will be met later.

The Past Participle is used in the formation of compound tenses and one such tense is the:

Perfect tense (passato prossimo)

In this tense the Past Participle is preceded by the Present Indicative of an auxiliary verb (*verbo ausiliare*). In English, the auxiliary verb is always the verb *to have* but in Italian it is sometimes **avere** and sometimes **essere.** The use of **essere** will be studied later but the use of **avere** is illustrated below:

(io)	ho	parlato	*I have spoken, I spoke*
(tu)	hai	bussato	*you have knocked, you knocked*
(Lei)	ha	veduto	*you have seen, you saw*
(noi)	abbiamo	voluto	*we have wanted, we wanted*
(voi)	avete	pulito	*you have cleaned, you cleaned*
(loro)	hanno	finito	*they have finished, they finished*

You will see from the above examples that the auxiliary verb **avere** changes its form but that the Past Participle does not change. It does change, however, when it is preceded by a Direct Object Pronoun, in which case it agrees in gender and number with the Object Pronoun e.g.

Ho comprato una nuova macchina.   **L'**ho compra**ta** stamani.
I have bought a new car.   *I bought it this morning.*
Questi uomini abitano qui.   **Li** abbiamo vedu**ti** spesso.
These men live here.   *We have seen them often.*

Use of the perfect tense

This tense is used to translate expressions such as the following to describe .actions which have taken place at an unstated time:

Ho veduto quel film.   *I have seen that film.*
Il mio amico ha comprato una casa.   *My friend has bought a house.*

It is used also to translate the corresponding English expression for an action which has taken place within a stated period of time which has not yet expired e.g.

Oggi ho ricevuto due telegrammi.   *Today I have received two telegrams.*
Questa settimana ho fumato cento sigarette.   *This week I have smoked a hundred cigarettes.*

---

   * **avere** is used as the auxiliary verb in the Perfect Tense with all transitive verbs (those verbs which can take an object) and with some intransitive verbs about which you will learn more later.

In such cases, the Perfect Tense (Passato Prossimo) can also translate the English Past Definite.

Oggi abbiamo incontrato un vecchio amico. *Today we met an old friend.*

Strictly speaking, when relating actions and events completed in the past, particularly with such expressions as **ieri, l'anno scorso, due mesi fa,** (*yesterday, last year, two months ago*) the Italian Past Definite (Passato Remoto) tense, which you will learn later, should be used in WRITTEN ITALIAN rather than the Passato Prossimo. The latter is used in CONVERSATION, however, particularly in the North of Italy, to describe actions completed in the past, and until you have learnt more about the past tenses you are advised to do the same.

NB The Past Participle is sometimes used as an adjective in which case it agrees in gender and number with the noun it qualifies e.g.

una piazza affolla**ta**   due lettere raccomanda**te**
a crowded square   *two registered letters*

Omission of the definite article with possessive adjectives

In most cases the Definite Article must be used with possessive adjectives e.g.

il mio libro   **la** mia penna   **le** mie scarpe

It is omitted, however, in direct address in expressions such as:
Buon giorno, cara mia. *Good morning, my dear.*
Sei stanco, figlio mio. *You are tired, my son.*

Note the position of the possessive adjective in the above expressions.

In the case of relatives, **figlio, fratello, sorella, cugino, padre** etc., the Definite Article is omitted provided that:

the noun is SINGULAR;
the noun is not modified by an adjective or suffix;
the possessive adjective is not **loro** (*their*) or **Loro** (*your*).
Thus we have:

	mio fratello	*my brother*
but	**il** mio caro fratello	*my dear brother*
	il mio fratellino	*my little brother*
	i miei fratelli	*my brothers*
	il loro fratello	*their brother*
	il Loro fratello	*your brother*

Italian weights and measures

The Italian units of weight are:

un grammo (*a gramme*)
un ettogrammo = **cento grammi** (often shortened to **un etto**)
un chilogrammo = **mille grammi** (often shortened to **un chilo** or
1 Kg.)

Approximate conversions are:

28 grammi = *1 ounce* (un'oncia)
100 grammi = 1 ettogrammo = *4 ozs.*
450 grammi = *1 pound* (una libbra)
1 chilogrammo *or* 1 chilo = 1 Kg. = *1 kilogramme = two and a fifth pounds*
un mezzo chilo = ½ *kilogramme = just over one pound*

Instead of asking for ¼ lb. of mushrooms, you would ask for **cento grammi**
or **un etto di funghi.**

½ lb. of butter = (approximately) due etti di burro
1 lb. of apples = (approximately) un mezzo chilo di mele
5 lbs. of potatoes = (approximately) due chili di patate

The commonest Italian unit of liquid measure is:

un litro = *1 litre = approximately 1¾ pints*

Olive oil, wine etc., if sold loose, are sold as:

un mezzo litro,   un litro
18 litri di benzina = *4 gallons of petrol*

Shopping

You will find the following expressions useful:

Buon giorno, signora, s'accomodi.
Good morning, Madam, please take a seat.

La signora desidera . . .?
Madam would like . . .?

In che modo posso servirla?
How can I help you?

Posso mostrarle qualcosa?
Can I show you anything?

Buon giorno. Vorrei due etti di burro e un mezzo chilo di riso.
Good morning. I would like ½ lb. of butter and 1 lb. of rice.

Desidero un litro di vino bianco.
I want a litre of white wine.

Questo è troppo caro. Non ha niente più a buon mercato?
This is too dear. Have you nothing cheaper?

Può mostrarmi delle cartoline illustrate?
Can you show me some picture postcards?

Può mostrarmi degli altri (delle altre)?
Can you show me some others?

Mi dia dieci litri di benzina, per favore, e mezzo litro d'olio.
Give me ten litres of petrol, please, and half a litre of oil.

NB Another way of saying *Give me* ... is **Favorisca darmi**. ...
Favorisca followed by an Infinitive is a very polite way of giving a command e.g.

Favorisca entrare! *Please enter!*

Favorisca firmare qui! *Please sign here!*

Esercizi

1   Rispondete in italiano:
a   Dove lavorano Rita e Teresa?
b   Dove si trova il Duomo di Milano?
c   Dove ha luogo un incontro di calcio?
d   I tifosi battono le mani. Perchè?
e   Che fanno Rita e Teresa invece di andare allo stadio?
f   Dove tengono le loro merci i commercianti?
g   Dove si può comprare un cappuccino?
h   Dove si può inviare telegrammi?
i   Perchè Rita e Teresa vanno in cerca di qualcosa a buon mercato?
j   Perchè andiamo alla biblioteca?
k   Che cosa ha Teresa nella sua borsetta?
l   Chi è il signor Rossi?
m   Dove lavora il signor Rossi?
n   Perchè dice il signor Rossi, – Che combinazione!?
o   Perchè ha lasciato l'automobile nel garage?
p   Il signor Rossi deve scappare. Perchè?
q   Che cosa ha ricevuto Rita dall'agenzia turistica?
r   Le fotografie non piacciono a Teresa. Perchè?
s   Cos'è un bikini?
t   Che tipo di lavoro fa Nina?

2   Put the following sentences into the PERFECT TENSE (PASSATO PROSSIMO):
a   La prima donna ha una malattia grave.
b   Tu non ascolti.

c   I ragazzi lavano la macchina.
d   Aspettano fino a mezzanotte.
e   Lucia vede gli uccelli in giardino.
f   Non vendiamo la macchina.
g   Finisco la lezione.
h   Non capisco.
i   Sento il rumore di passi.
j   La signora Tagliavini pulisce la cucina.

3   Replace the words in italics by a single DIRECT OBJECT PRONOUN, putting the PRONOUN in its correct place and making any necessary alterations to the sentence in which it occurs:

a   I miei genitori abitano in Australia. Non vedo spesso *i miei genitori.*
b   Questa macchina non è vecchia. Voglio vendere *la macchina.*
c   Queste sono le sue scarpe. Ho pulito *le scarpe* stamani.
d   Questa lezione è facile. Ho capito *la lezione.*
e   Lei ha comprato una bottiglia di vino. Dove ha comprato *il vino?*

4   Traducete le seguenti frasi in inglese:

a   Ti amo molto; voglio vederti subito.
b   Tu non mi capisci perchè non mi ascolti.
c   I nostri amici ci hanno dimenticati.
d   Desidero ringraziarla per il regalo.
e   Il tassì è pronto, signori. Posso portarli alla stazione?

5   Imagine you are in a grocer's shop (**una drogheria**) in Italy. How would you ask for the following using approximate equivalents in Italian measures:

a dozen eggs, 1 lb. of butter, 2 lb. of apples, 1 pint of red wine, ¼ lb. of chocolates, ½ lb. of coffee, a pound of pears, 5 lb. of potatoes, ½ lb. of cherries, 2 ozs. of sweets, ¼ lb. of tea, 1 lb. of figs, 1 lb. of tomatoes.
At the Service Station or Garage (**la stazione di servizio**) ask for:
2 gallons of petrol and about 1 pint of oil.

Un ricevimento

Teresa ha invitato parecchi suoi amici e compagni di lavoro a un ricevimento a casa sua. Tutti hanno accettato l'invito ma Rita è arrivata prima degli altri per aiutare Teresa a preparare la cena. I genitori sono appena usciti ma Teresa non è riuscita a persuadere i suoi fratelli ad andare a letto. Siccome piove la mamma ha tirato le tende prima di partire per nascondere il cielo grigio. Teresa è scesa in cantina. Poco dopo torna in cucina. Rita leva il coperchio d'una casseruola che sta sul fornello e dice:

– Che buon odore! Si può domandare cos'è?

– Sì, certamente. È osso buco. Ecco la ricetta!

Teresa dà la ricetta a Rita e Rita comincia a leggerla.

Occorrente: otto o nove fette di osso buco di vitello, due cucchiai di farina, sei cucchiai d'olio d'oliva, due cipolle, uno spicchio d'aglio, sugo di pomodoro, mezzo litro di vino bianco, un pizzico di sale, pepe, buccia di limone grattugiata...

– Com'è interessante, dice Rita, – ma sono venuta ad aiutarti. In che modo posso essere d'aiuto?

– Se non ti spiace, vuoi mettere un po' di legna sul fuoco nel salotto. Fa un freddo terribile stasera. E poi, vuoi andare di sopra a prendermi un asciugamano ed anche un asciugapiatti pulito per i bicchieri?

– Sì. Va bene.

Quando Rita è tornata in cucina, le ragazze parlano di vestiti. Rita porta un abito di lana morbida con i bottoni e la cintura d'argento. Quando è arrivata ha cambiato le scarpe eleganti con i tacchi molto alti con un paio di pantofole comode. Teresa ha indossato una blusa e una gonna che stanno bene insieme. Mentre chiacchierano Teresa taglia a fettine un limone. Rita fa una smorfia e dice,
– Ma come sono acidi i limoni!
– Come? Ma che sciocchezze! I limoni sono sempre acidi anche quando sono maturi. Non ho mai sentito parlare d'un limone dolce. Dunque! Le bibite! Ho portato su la birra. C'è anche una mezza bottiglia di cognac, una bottiglia di vermut, un paio di bottiglie di vino bianco e una di liquore. Adesso basta! Ho comprato dei panini e dei biscotti ed il lattaio ci ha lasciato un litro di latte in più. Vuoi riempire questa brocca, Rita, se non ti dispiace?

Poco dopo, Teresa ha dato gli ultimi tocchi e tutto è in ordine. Rita mette di nuovo le scarpe eleganti e le ragazze vanno in salotto ad aspettare gli altri. Quando arrivano i primi invitati, Teresa apre la porta e vede Dino e Marina. Teresa abbraccia Marina e dice:
– Benvenuta, Marina. Benvenuto, Dino. Siete venuti a piedi?
– Sì, risponde Dino, – ma è la solita storia. Ho dovuto aspettare Marina una mezz'ora. C'è stato un temporale e sono bagnato fino alle ossa. Non voglio prendere un altro raffreddore, ne ho già avuto due quest'anno.
– Oh, che peccato! dice Teresa, che non può fare a meno di ridere.
– Non è vero, dice Marina, – lui scherza sai. Mi prende sempre in giro.
– Vuoi mettere il cappotto nell'armadio, Dino, dice Teresa, – mentre vado a prenderti un bicchiere di qualcosa per riscaldarti?

Dino e Marina sono fidanzati. Marina è sempre vissuta in Italia. Dino è nato in Italia ma ha lavorato per lunghi periodi all'estero. Quindi, può dare un po' di consigli a Rita e Teresa in merito alle vacanze.

Espressioni utili

Come? *What? What did you say?*   Benvenuto! *Welcome!*
fare una smorfia *to pull a face*   Com'è interessante! *How*
si può domandare? *may one ask?*   *interesting!*
Basta! *That's enough! That will do!*   Va bene! *Very well!*
Per riscaldarti *To warm you up*   Che sciocchezze! *What nonsense!*
                          in che modo *in what way?*

Se non ti (Le) spiace *If you don't mind*
dare gli ultimi tocchi *to put the finishing touches*
Non ho mai sentito parlare di... *I have never heard tell of . . .*
prendere in giro qualcuno *to tease, to pull someone's leg*
Teresa non può fare a meno di ridere *Teresa cannot help laughing*
bagnato fino alle ossa *wet through to the skin* (literally: *bones*)
prendere un raffreddore *to catch a cold*

Vocabolario

NOMI MASCHILI
abito   *dress, suit*
aiuto   *help, assistance*
argento   *silver*
armadio   *wardrobe, cupboard*
asciugamano   *towel*
asciugapiatti   *tea-towel*
biscotto   *biscuit*
bottone   *button*
cappotto   *overcoat*
cognac   *cognac, brandy*
compagno   *companion*
consiglio   *advice*
coperchio   *lid*
fidanzato (-a)   *fiancé (-ée)*
fornello   *oven*
fuoco   *fire*
invitato   *guest*
invito   *invitation*
lattaio   *milkman*
liquore   *liqueur*
litro   *litre*
merito   *merit, worth*
in merito a   *with regard to*
occorrente   *necessary ingredients*
odore   *odour, smell*
olio   *oil*
ordine   *order*
osso buco   *marrow bone*
peccato   *pity, sin*
pepe   *pepper*
pizzico   *pinch*
ricevimento   *party, reception*
sale   *salt*
spicchio   *segment* (of fruit)
spicchio d'aglio   *clove of garlic*
tacco   *heel* (of shoe)
temporale   *storm*
vermut   *vermouth*
vestiti (*pl.*)   *clothes*
vitello   *calf, veal*

NOMI FEMMINILI
bibita   *drink*
birra   *beer*
blusa   *blouse*
brocca   *jug*
buccia   *peel, rind*
cantina   *cellar*
casseruola   *saucepan, casserole*
cena   *supper*
cintura   *belt*
cipolla   *onion*
farina   *flour*
fetta   *slice*
fettina   *thin slice, small slice*
gonna   *skirt*
legna   *firewood*
pantofola   *slipper*
ricetta   *recipe, prescription*
storia   *story, history*
tenda   *curtain*

VERBI
abbracciare   *to embrace*
accettare   *to accept*
aiutare   *to help*
asciugare   *to dry*
indossare   *to put on, to wear*
riscaldare   *to warm up, to heat*
scherzare   *to tease, to joke*
sollevare   *to raise*
tagliare   *to cut*
tirare   *to draw, to pull*
nascondere   *to hide*
persuadere   *to persuade*
riempire   *to fill*

AGGETTIVI
acido   *sour, acid*
dolce   *sweet*
grattugiato   *grated*
interessante   *interesting*
maturo   *ripe, mature*
morbido   *soft*

appena *just, hardly, scarcely*
certamente *certainly*
di nuovo *again*
di sopra *upstairs*
prima (di) *before*

saporito *flavoured, piquant*
solito *usual*
terribile *terrible*

Use of 'tanto . . . quanto' and 'così . . . come'

As . . . as is translated by **tanto . . . quanto** or **così . . . come** e.g.

Rita è **tanto** bella **quanto** Teresa.⎱
Rita è **così** bella **come** Teresa. ⎰ *Rita is as beautiful as Teresa.*

La cucina inglese non è **tanto** saporita **quanto** la cucina italiana.
La cucina inglese non è **così** saporita **come** la cucina italiana.

English food is not as piquant as Italian food.
English food is not so piquant as Italian food.

NB The first part of the expression **tanto**, or **così**, is sometimes omitted.

Perfect tense (*continued*)

In the last lesson, you studied the formation and use of the Perfect Tense using **avere** as the auxiliary verb. If the verb is one which can take a Direct Object (i.e. if it is a transitive verb), **avere** is the auxiliary verb to use.

Intransitive verbs (those which cannot normally take a Direct Object), sometimes use **avere** and sometimes **essere**.

Use of 'essere' as auxiliary verb in the Perfect Tense

Essere is used as the auxiliary verb with both **essere** and **stare**. Both **essere** and **stare** have the same Past Participle **stato** e.g.

Sono in Italia.   **Sono stato** in Italia.
I am in Italy.   *I have been to Italy.*

Sto male.   **Sono stato** male.
I am ill.   *I have been ill.*

The following is a list of some other more commonly used verbs which, when used in the Perfect Tense, take **essere** as the auxiliary verb in front of the Past Participle. If the Past Participle is irregular it is given in brackets.

andare *to go*   restare *to stay*
arrivare *to arrive*   rimanere (rimasto) *to remain*
cadere *to fall*   riuscire *to succeed*

*correre (corso) *to run*
diventare *to become*
entrare *to enter*
morire (morto) *to die*
nascere (nato) *to be born*
partire *to depart*

salire *to go up, to ascena*
scendere (sceso) *to go down, to descend*
tornare *to return*
uscire *to go out*
venire (venuto) *to come*
vivere (vissuto) *to live*

* correre can also be used transitively in which case it takes **avere** as auxiliary e.g. Il pilota ha corso un rischio terribile *The pilot has run a terrible risk.*

You will see that most of the verbs given above are verbs of 'coming', 'going' and 'staying'. **Camminare** (*to walk*) is an important exception to the rule and always takes **avere** as auxiliary in the Perfect Tense.)

NB Those Past Participles which take **essere** as auxiliary verb agree in GENDER and NUMBER with the SUBJECT of the sentence:

Il re è caduto. *The king has fallen.*
La regina è entrata. *The queen has entered.*
I miei amici sono andati. *My friends have gone.*
Le due donne sono uscite. *The two women have gone out.*

Indirect object pronouns

The words in italics in the following sentences are DIRECT OBJECTS:

My cousin has sent *a letter* to me.
I have given *a present* to him.

The pronouns *me* and *him* (above) are INDIRECT Object Pronouns because they are preceded by *to*. Look at the next two sentences:

1 My cousin has sent *me* to find you.
2 My cousin has sent *me* a letter.

You will see that *me* in the first sentence is the DIRECT Object Pronoun but in the second sentence *me* is the INDIRECT Object Pronoun because it means *to me*. The INDIRECT OBJECT PRONOUNS in Italian are:

mi	*to me*
ti	*to you* (intimate form)
*gli	*to him*
*le	*to her*
*Le	*to you* (masc. and fem. polite form singular)
ci	*to us*
vi	*to you*
*loro	*to them* (masc. and fem.)
*Loro	*to you* (masc. and fem. polite form plural)

* Note that these forms are different from the corresponding Direct Object form

The Indirect Object Pronoun (like the Direct Object Pronoun) usually precedes the verb but is tagged on to the end of an Infinitive. **Loro** and **loro** always follow the verb, however, and are always written separately. This is illustrated in the following examples:

Mio cugino **mi** ha inviato una lettera.   *My cousin has sent me a letter.*
Gli ho dato un regalo.   *I have given him a present.*
Ci hanno inviato un telegramma.   *They have sent us a telegram.*
Abbiamo inviato **loro** un telegramma.   *We have sent them a telegram.*
Voglio parlar**gli**.   *I want to speak to him.*
Devo insegnar **Loro** una nuova regola.   *I have to teach you a new rule.*

Some verbs which take a Direct Object in English take an Indirect Object in Italian e.g.

volere bene **a** qualcuno   *to love someone*
Guido vuol(e) bene **a** Nina   *Guido loves Nina*
Guido **le** vuol bene   *Guido loves her*

chiedere **a** (domandare **a**) una persona   *to ask a person*
Dobbiamo chiedere **a** un poliziotto   *We must ask a policeman*
Dobbiamo chieder**gli**   *We must ask him*

Maria domanda **alle** sue amiche   *Maria asks her friends*
Maria domanda **loro**   *Maria asks them*

Esercizi

1   Rispondete alle seguenti domande:
a   Rita è arrivata prima degli altri. Perchè?
b   La mamma ha tirato le tendine. Perchè?
c   Che cosa c'è nella casseruola?
d   Perchè non è necessario aggiungere o il sale o il pepe ad un piatto italiano? (**o** il sale **o** il pepe = *either* salt *or* pepper) (aggiungere = *to add*)
e   Le piace la cucina italiana?
f   Cosa facciamo con un asciugamano?
g   Perchè Rita ha cambiato le scarpe eleganti?
h   Cosa mettiamo in una tazza di tè se non è abbastanza dolce?
i   Dove è nato Dino?
j   Dove è nato (nata) Lei?

2   Put the following sentences into the PERFECT TENSE:
a   Mio padre va a letto.
b   Mia madre esce con il cane.
c   Arriviamo a mezzogiorno.
d   Veniamo per aiutarvi.
e   Gli studenti partono.
f   Non vado mai all'estero

g   Mia sorella torna a casa prima degli altri.
h   Lei arriva in ritardo.
i   Le ragazze corrono lungo la strada.
j   Riusciamo a fare tutti gli esercizi.

3   When you have completed Exercise 2, translate your answers into English.

4   In the following sentences, the INDIRECT OBJECT PRONOUN has been left out but is given at the end in brackets. Rewrite the sentences putting the INDIRECT OBJECT PRONOUN in the correct place, then translate your sentences into English:

a   Il mio amico italiano ha inviato un pacco (mi).
b   Agita le mani in aria quando parla (ci).
c   Ti voglio bene e devo scrivere (ti).
d   Scrive una lettera oggi (loro).
e   Ho mandato una cartolina illustrata (gli).
f   Posso presentare il mio amico (Le)?
g   Ho portato un fascio di fiori (vi).
h   Quando posso inviare un invito (le)?
i   Ho dato un bacio (le).   (un bacio = *a kiss*)
j   Lei ha dato uno schiaffo (mi).   (uno schiaffo = *a slap*)

NB An INDIRECT Object Pronoun used in front of a Past Participle does NOT have any influence on the Participle ending.

Preparativi per le vacanze

È finesettimana. Rita e Teresa sono nella camera di Teresa dove fanno gli ultimi preparativi per le vacanze all'estero. Rita ha già fatto le sue valigie ed è venuta ad aiutare Teresa a fare le sue.

    – Vorrai fare qualche fotografia, dice Rita, – non vuoi portare la tua nuova macchina fotografica?

    – Oh sì! risponde Teresa. – A proposito, porterò anche la ricevuta che mi hanno dato nel negozio. La metterò nel portafoglio. Ne avrò bisogno alla dogana quando torneremo, come prova che non ho comprato la macchina fotografica all'estero.

Teresa mette la macchina fotografica nella valigia che sta sul letto. Poi, vi mette un pigiama ed una camicia da notte e dice:

    – Ho quasi finito adesso ma c'è ancora un po' di posto in questa valigia. C'è posto per altre due camicette e posso mettervi anche un'altra saponetta ed un paio di calze. Potrò mettere il dentifricio e lo spazzolino da denti nella borsetta. Ecco fatto! Ora, tutto è a posto.

– Sarà necessario chiudere a chiave la valigia?

– Penso di sì, ma potrò farlo domani mattina. Il nostro bagaglio sarà molto pesante ma potremo chiamare un tassì per portarci all'aeroporto.

– Non hai paura di andare in aeroplano?

– No! Anzi, mi piace.

– Non sembra possibile che domani saremo oltre il mare. Stanotte sognerò la sabbia dorata.

– Bisogna caricare la sveglia, allora, perchè partiremo all'alba.

– Quanto costerà la nostra permanenza all'estero?

– Non lo so precisamente. Dipenderà da molte cose. Compreremo alcuni ricordi e faremo qualche gita forse. Perchè domandi? Sei preoccupata?

– No! Non sono preoccupata per niente. Ho risparmiato una somma abbastanza grande e, inoltre, la mia mamma mi ha dato quarantamila lire.

– Sei fortunata. Allora, darò un'altra occhiata ai miei documenti. Voglio essere proprio sicura che tutto è in ordine.

– Ti lascerò in pace dunque e ci vedremo di buon'ora domani mattina.

– A domani allora! Buona notte!

– Buona notte e buon riposo!

Vocabolario

NOMI MASCHILI
aeroplano *aeroplane*
aeroporto *airport*
bagaglio *baggage, luggage*
dentifricio *tooth paste*
documento *document*
mare *sea*
portafoglio *wallet*
pigiama *pair of pyjamas*
posto *room, space, place*
ricordo *souvenir, record*
riposo *rest*
spazzolino da denti *tooth brush*

VERBI
caricare *to wind* (clock), *to load*
costare *to cost*
lasciare *to leave* (behind)
sognare *to dream*
chiudere *to close*
chiudere a chiave *to lock*
dipendere (da) *to depend* (*on*)

AVVERBI
anzi *on the contary, rather*
domani *tomorrow*

NOMI FEMMINILI
alba *dawn*
camicetta *blouse*
camicia *shirt*
camicia da notte *night dress*
chiave *key*
dogana *customs* (at frontier)
finesettimana *week-end*
gita *trip, excursion*
occhiata *glance*
pace *peace*
prova *proof, trial*
permanenza *stay, permanence*
ricevuta *receipt*
sabbia *sand*
saponetta *tablet of soap*
somma *sum*
valigia *suitcase*

AGGETTIVI
dorato *golden*
necessario *necessary*
pesanti *heavy*
preoccupato *preoccupied, worried*
sicuro *sure, certain*

inoltre   *besides, moreover*
oltre   *beyond*
precisamente   *precisely, exactly*
stanotte   *tonight, last night*

Altro vocabolario

A domani allora!   *Until tomorrow*
then!
di buon'ora   *early*
Ecco fatto!   *There, that's done!*

fare una fotografia   *to take a photo-*
graph
fare una valigia   *to pack a suitcase*

Future tense

Formation

The formation of the regular Future Tense is quite simple. The following
list of endings is added to the Infinitive less its final vowel:

-ò
-ai
-à
-emo
-ete
-anno

In the case of Infinitives ending in **-are**, the **a** in the Infinitive ending is
changed to **e**. Here are three model verbs in the Future Tense:

comprerò { *I shall buy* / *I will buy*	venderò { *I shall sell* / *I will sell*	finirò { *I shall finish* / *I will finish*
comprerai	venderai	finirai
comprerà	venderà	finirà
compreremo	venderemo	finiremo
comprerete	venderete	finirete
compreranno	venderanno	finiranno

Verbs ending in **-giare** and **-ciare** change the **a** to **e** and drop the **i** in
the Future Tense e.g.

viaggiare   viaggerò etc.
baciare   bacerò etc.

Verbs ending in **-gare** and **-care** take **he** instead of **a** e.g.

pagare   pagherò etc.
caricare   caricherò etc.

The following is a list of some commonly used verbs which are irregular in
the Future Tense. Only the first person singular is given, as the other
endings follow the regular pattern given above:

INFINITIVE	FUTURE
avere	avrò
essere	sarò

Future Tense (*continued*)

andare	andrò
potere	potrò
sapere	saprò
vedere	vedrò
venire	verrò
volere	vorrò
*fare	farò
*stare	starò
*dare	darò

In the case of the verbs marked thus (*), the **a** in the ending of the Infinitive does not change to **e** in the Future Tense.

Use of the Future Tense

1 As in English, to denote what is going to happen in the future e.g.

Lavorerò fino a mezzogiorno, domani. *I shall work until noon, tomorrow.*

Saremo a Venezia la settimana prossima. *We shall be in Venice next week.*

NB Although the future idea is often conveyed by the Present Tense in English after conjunctions of time such as *when, as soon as* etc., the Future Tense must be used in Italian e.g.

When I have a lot of money, I shall go abroad.
Quando **avrò** molto denaro, andrò all'estero.

As soon as we are ready, we will go.
Appena **saremo** pronti, andremo.

In English, the Present Tense is also used after *if*. In such expressions in Italian, either the Future or the Present Tense can be used. The Future Tense must be used, of course, in the main clause e.g.

If you leave early, you will be able to catch the train.

Se **partirà** di buon'ora, potrà prendere il treno.   *or*
Se **parte** di buon'ora, potrà prendere il treno.

2 To express what is likely or probable:

Mia madre sarà a casa adesso.

My mother will be at home now.   or
My mother is probably at home now.

Quella donna avrà sessant'anni.

That woman will be sixty years old.   or
That woman is probably sixty years old.

Age

Age is expressed using the verb **avere** e.g.

Quanti anni ha Lei? *How old are you?*
Ho ventidue anni. *I am twenty-two (years of age).*
Quanti anni ha sua sorella? *How old is your sister?*
Ha quindici anni. *She is fifteen (years of age).*
Expressions such as the following can also be used:
Che età ha il suo amico? *How old is your friend?* (età = age)
Ha venti anni. *He is twenty (years of age).*
È sulla ventina (trentina, quarantina ecc.) *He is about twenty (thirty, forty etc.)*
Che età hanno i gemelli? *How old are the twins?*
Hanno tre mesi. *They are three months old.*

Time

un momento	*a moment*	un secondo	*a second*
(Momento!	*Just a moment!*)	un minuto	*a minute*
un istante	*an instant*	un'ora	*an hour*
un attimo	*an instant*		

Note the following expressions:

Abbiamo passato una bella mattinata (giornata, serata) a Firenze.
We have spent a lovely morning (day, evening) in Florence.
Che bella giornata! *What a lovely day!*

Hours of the day

Che ora è? (*or* Che ore sono?) *What time is it?*
Che ora ha? *What time do you make it?* (colloquial)
Sono le due (le quattro, le dodici ecc.) *It is two o'clock (four o'clock, twelve o'clock etc.).*

NB è is only used with *one o'clock, noon* and *midnight*:

È l'una, è mezzogiorno, è mezzanotte. *It is one o'clock, it is noon, it is midnight.*

È l'una e un quarto. *It is quarter past one.*
Sono le cinque e ventisei. *It is twenty six minutes past five.*
Sono le sei e mezzo (*or* mezza). *It is half past six.*
Sono le sette meno venti. *It is twenty to seven.*
Sono le otto meno un quarto. *It is quarter to eight.*

The twenty-four hour system is often used in Italy, particularly for times of trains, public services, performances, functions etc. e.g.

Il treno arriverà alle diciotto e cinque.
The train will arrive at five past six (p.m.).

When using the twelve hour system, ambiguity can be avoided by using expressions such as the following:

Le tre della mattina.   *Three o'clock in the morning.*
Le quattro del pomeriggio.   *Four o'clock in the afternoon.*
Le otto della sera.   *Eight o'clock in the evening.*

Note also the following expressions:

Il suo orologio va avanti.   *Your watch is fast.*
Il mio orologio va indietro.   *My watch is slow.*
Quest'orologio è giusto.   *This watch (or clock) is right.*
Ho dormito bene stanotte.   *I slept well last night.*
Dormirò in un albergo stanotte.   *I shall sleep in an hotel tonight.*
(The exact meaning of *stanotte* is usually clear from the context.)

'ci', 'vi' and 'ne' as pronouns and adverbs

You have already met **ci**, **vi** and **ne** as PRONOUNS:

ci *us, to us*
vi *you, to you* (familiar form)
ne *some, of it, of them, any, any of it* etc., referring to a noun previously mentioned.

For example:

Ci hanno consigliato di stare a casa. *They have advised us to stay at home.*
Ci hanno parlato. *They have spoken to us.*
Vi prego di venire. *I beg you to come.*
Vi ho spedito un pacco. *I have sent you a parcel.*

Questi fiori sono belli. **Ne** ho comprati due fasci.
These are nice flowers. I have bought two bunches (of them).

Ho dimenticato le mie sigarette. **Ne** hai tu?
I have forgotten my cigarettes. Have you any (of them)?

ci, **vi** and **ne** can also be used as ADVERBS:

ci and **vi** *there*
ne *from there*

For example:

Mi piace la Scozia; **ci** vado spesso. *I like Scotland; I go there often.*
Vi sono stato dieci volte. *I have been there ten times.*

Mio zio è stato in Irlanda; **ne** è tornato ieri.
My uncle has been to Ireland; He came back (from there) yesterday.

You have already met **c'è** (*there is*) and **ci sono** (*there are*). These are sometimes replaced by **v'è** and **vi sono** which have the same meaning.

The word **ecco** (*here is, here are, there is, there are*) is used to attract attention to something present:

Ecco!   *Look!*
Eccomi! *Here I am!*
Eccoci! *Here we are!*
Eccolo! *Here he is! There he is!*

The words **ci**, **vi** and **ne**, whether used as pronouns or adverbs, follow the same rule for position as the Direct and Indirect Object Pronouns already studied i.e. they precede the verb unless it is in the Infinitive, in which case they are tagged on to the end. They are also tagged on to the end of **ecco**.

Suffixes

The meaning of nouns, adjectives and adverbs can often be modified in Italian by using suffixes. The suffixes used most are as follows:

-ino, -etto, -(u)olo, -ello (indicating smallness or dearness)

tavola	–	tavolino	table	–	small table
gatto	–	gattino	cat	–	kitten
mano	–	manina	hand	–	pretty little hand
bene	–	benino	well	–	fairly well
povero	–	poverino	poor	–	poor (expressing sympathy)
		poverello			poor (expressing sympathy)
campana	–	campanello	bell	–	door bell
casa	–	casetta	house	–	cottage
sacco	–	sacchetto	sack	–	small sack (*sachet*)
figlio	–	figliuolo	son	–	small son

-one (emphasising size)

bestia	–	bestione	beast	–	big beast
bocca	–	boccone	mouth	–	big mouth
bene	–	benone	well	–	very well

-accio (to convey unpleasantness)

tempo	–	tempaccio	weather	–	foul weather
parola	–	parolaccia	word	–	swear word

-astro (added to the end of colours)

bianco	–	biancastro	white	–	whitish
giallo	–	giallastro	yellow	–	yellowish

Sometimes, two or more suffixes are used to indicate different shades of meaning:

pezzo	–	pezzetto	*piece*	– *small piece*
	–	pezzettino		– *tiny piece*
pesce	–	pesciolino	*fish*	– *pretty little fish*
moglie	–	mogliettina	*wife*	– *dear little wife*

NB The above examples are given so that you can recognise the significance of the suffixes. Words to which a suffix is added often undergo a change in gender. Suffixes cannot be used indiscriminately and you are advised to use only those forms which you have seen or heard before.

Money

The Italian monetary system is based on the **lira**. Italian money follows the decimal system and is easy to deal with. Coins (**moneta**) of 10, 20, 50, 100 and 500 lire and notes (**banconote**) of 500, 1,000 and 5,000 are in circulation.

Ordinal numerals

1st	primo		*11th*	undicesimo
2nd	secondo		*15th*	quindicesimo
3rd	terzo		*22nd*	ventiduesimo
4th	quarto		*40th*	quarantesimo
5th	quinto		*100th*	centesimo
6th	sesto		*117th*	centodiciassettesimo
7th	settimo		*400th*	quattrocentesimo
8th	ottavo		*1,000th*	millesimo
9th	nono		*1,613th*	milleseicentotredicesimo
10th	decimo		*1,000,000th*	milionesimo

The first ten of the Ordinal Numerals have their own special forms. All the other Ordinal Numerals are formed by adding **-esimo** to the corresponding Cardinal Numeral less its final vowel.

EXCEPTION: If the Cardinal Numeral ends in **-trè** it keeps its final vowel but loses its accent before tagging on **-esimo** e.g.

ventitrè – **ventitreesimo**

Ordinal Numerals are adjectives and as such they must agree in gender and number with the noun they qualify e.g.

il prim**o** ragazzo   i prim**i** giorni
la prim**a** donna   le prim**e** settimane

Ordinal Numerals usually precede Common Nouns but sometimes follow, especially when enumerating centuries:

il secolo diciannovesimo   *the nineteenth century*

Ordinal Numerals always follow Proper Names:

Giorgio sesto   *George the Sixth*

Ordinal Numerals starting from **terzo** are used to express fractions:

due terzi   *two-thirds*; tre quarti   *three-quarters*; sette ottavi   *seven-eighths*

Remember that Ordinal Numerals are NOT used for dates of the month except for **il primo** (*the 1st*). Cardinal Numerals are used for all other dates e.g.

il due (*the 2nd*)   il tre (*the 3rd*)   etc.

Booking a room

– Buon giorno! Posso riservare una camera ad un letto con bagno o doccia?
– *Good morning! Can I reserve a single room with bath or shower?*

– Sì, signore, per quanto tempo?
– *Yes, sir, for how long?*

– Per una notte soltanto.
– *For one night only.*

– Posso offrirle la camera numero 35 al primo piano.
– *I can offer you room number 35 on the first floor.*

– Non ha una camera più in alto?
– *Haven't you a room higher up?*

– Il terzo piano è tutto occupato ma può avere una buona camera con doccia al secondo piano.
– *All the third floor is full up but you can have a good room with shower on the second floor.*

– E quanto costa?
– *And how much is it?*

– 2.500 lire compreso il servizio. (2.500 = duemila cinquecento)
– *2,500 lire including service.*

– Va bene, la prenderò.
– *Very well, I will take it.*

– Grazie, signore; favorisca riempire questo modulo.
– *Thank you, sir; please fill in this form.*

Esercizi

1 Rispondete alle seguenti domande:
a Cosa fanno Rita e Teresa prima di andare a letto?
b Perchè è venuta Rita?
c Cosa mette nella valigia Teresa?
d Perchè sarà necessario chiamare un tassì?
e Teresa mette la ricevuta nel suo portafoglio. Perchè?
f Cosa mette nella borsetta Teresa?
g Perchè non è preoccupata Rita?
h Cosa compreranno all'estero?
i Quanto denaro ha dato la mamma a Rita?
j Perchè deve caricare la sveglia Rita?

2 Put the following sentences into the FUTURE TENSE then translate the sentences into English:
a Non ho molto tempo.
b Abbiamo due giorni di riposo.
c Sono stanco; posso andare a letto?
d I miei genitori non sono a casa.
e Compra un nuovo portafoglio Lei?
f Quanto costa una bottiglia di vino in Italia?
g Dove metti la tua macchina?
h Quanti soldi spendete voi?
i Apriamo la porta quando arrivano gli altri.
j A che ora finisce la lezione?

3 Rispondete alle seguenti domande:
a Se una camera costa 2.500 lire per una notte soltanto, quanto costerà per due notti? per tre notti? per quattro notti? per otto notti?
b Se il signor Tagliavini dà 300 lire a Lucia, 100 lire a Riccardo e 150 lire a Carlo, quante lire dà loro in tutto?
c Se la velocità d'una macchina è sessanta chilometri all'ora, quanto tempo ci vuole per percorrere una distanza di duecentoquaranta chilometri? (percorrere   to cover (a distance))
d In un certo negozio, Rita compra i seguenti articoli:
quattro cartoline illustrate a 50 lira l'una = 200 lire
quattro francobolli da 35 lire = 140 lire
tre francobolli da 60 lire = 180 lire
carta da lettere = 150 lire
buste = 100 lire
una penna a sfera = 100 lire
Quanto deve pagare Rita in tutto?
e Se il treno per Milano parte dalla stazione alle undici di mattina e ci vogliono quattro ore per andare a Milano, a che ora arriverà il treno a Milano?

4   Che ore sono in italiano:

noon	4.15 a.m.
midnight	5.45 a.m.
1.0 a.m.	6.35 a.m.
1.30 a.m.	7.25 a.m.
2.10 a.m.	8.37 a.m.
3.20 a.m.	

Express the following times in Italian using the twenty-four hour system (i.e. by adding 12 hours to those times between 12 noon and midnight):

1.0 p.m.	5.12 p.m.
2.30 p.m.	6.55 p.m.
3.15 p.m.	9.40 p.m.
4.45 p.m.	12 p.m. (midnight)

5   If 5 miles are equal to 8 kilometres carry out the following conversions:

10 miles = ... chilometri	16 chilometri = ... miglia
20 miles = ... chilometri	24 chilometri = ... miglia
30 miles = ... chilometri	32 chilometri = ... miglia
50 miles = ... chilometri	40 chilometri = ... miglia

Vocabolario

NB Masculine nouns ending regularly in -o and feminine nouns ending regularly in -a do not have their gender given. Nouns with irregular endings and those ending in -e have their gender indicated by *m.* or *f.*

a

a   *at, to, in*
abbastanza   *enough, sufficient, fairly*
abbondante   *abundant, plentiful*
abbracciare   *to embrace*
abitante (*m. & f.*)   *inhabitant*
abitare   *to live*
abito   *dress, suit*
abituato   *accustomed, used*
accanto   *next to, beside, by the side*
accendisigaro   *cigarette lighter*
accettare   *to accept*
accompagnare   *to accompany*
acido   *acid, sour*
acqua   *water*
acqua minerale   *mineral water*
adesso   *now*
adoperare   *to use, to make use of*
aeroplano   *aeroplane*
aeroporto   *air port*
affare (*m.*)   *business*
   uomo d'affari   *business man*
affatto   *at all*
affollato   *crowded*
agenzia turistica   *tourist agency*
aggiungere   *to add*
agitare   *to wave, to stir*
agosto   *August*
Ah!   *Ah!*
aiutare   *to help*
aiuto   *help, assistance*
alba   *dawn*
albergo   *hotel*
albero   *tree*
alcuni, alcune   *a few, some*
allegro   *gay, merry, lively*
alloggiare   *to lodge, to stay*
allora   *then*
   allora?   *well? well then?*
   allora!   *well! well then!*

almeno   *at least*
alto   *high, tall*
altrettanto   *the same*
altrettanto a Lei   *the same to you*
altro   *other*
   senz'altro   *certainly*
amare   *to love*
ambedue   *both*
America   *America*
Americano (-a) (*nm. & nf.*)   *American*
americano (*adj.*)   *American*
amica (*f.*)   *friend*
amico (*m.*)   *friend*
anche   *also*
ancora   *still, yet, again*
andare   *to go*
andare a piedi   *to go on foot*
andare avanti   *to go forward, to go in front*
andare in giro   *to go round, to go about*
andare via   *to go away*
andiamo!   *let's go!*
angolo   *corner*
animale (*m.*)   *animal*
anno   *year*
anno bisestile   *Leap Year*
annunciatore (*m.*)   *announcer*
antico   *old, antique, ancient*
antipasto   *hors d'œuvre*
anzi   *rather, on the contrary*
apparecchiare   *to prepare, to lay (table)*
apparecchio   *aeroplane, apparatus*
appartamento   *flat, apartment*
appena   *just, hardly, scarcely, as soon as*
appetito   *appetite*
applaudire   *to applaud*

appuntamento *appointment*
aprile (*m.*) *April*
aprire *to open*
arancia *orange*
aranciata *orangeade*
arancione (*adj.*) *orange colour*
arbitro *referee*
argento *silver*
aria *air*
armadio *wardrobe, cupboard*
arrivare *to arrive*
arrivederci *good-bye*
arrivo *arrival*
arrosto *roast*
arte (*f.*) *art*
articolo *article*
asciugamano *towel*
asciugapiatti *tea-towel*
asciugare *to dry*
ascoltare *to listen, to listen to*
aspettare *to wait, to wait for*
aspirapolvere (*m.*) *vacuum cleaner*
associare *to associate*
assortimento *assortment*
attimo *instant*
atto *act*
attore (*m.*) *actor*
attraversare *to cross*
attraverso *across*
attrice (*f.*) *actress*
augurare *to wish*
augurio *wish*
autista (*m. & f.*) *driver, chauffeur*
autobus (*m.*) *'bus*
automobile (*f.*) *motor car*
autunno *Autumn*
azzurro *blue*
avanti *forward, onward*
avere *to have*
aver caldo *to be shot*
aver fame *to be hungry*
aver freddo *to be cold*
aver fretta *to be in a hurry*
aver luogo *to take place*
aver paura *to be afraid*
aver ragione *to be right*

aver sete *to be thirsty*
aver sonno *to be sleepy*
aver torto *to be wrong*
avviso *notice, sign*

b

babbo *father, daddy*
baciare *to kiss*
bacio *kiss*
bagaglio *luggage, baggage*
bagnato *wet*
balcone (*m.*) *balcony*
bambino (-a) *baby*
banana *banana*
bar (*m.*) *bar*
barba *beard*
basso *low, short*
basta! *enough! that's enough!*
battere *to beat*
battere le mani *to clap hands*
becco *beak*
bello *beautiful, handsome, fine, nice*
bene *well*
va bene! *very well!*
benissimo *very well*
benvenuto *welcome*
bestia *beast*
bevanda *soft drink, beverage*
bianco *white*
bibita *drink*
biblioteca *library*
bicicletta *bicycle*
biglietto *ticket, note*
biglietto d'andata e ritorno *return ticket*
biondo *blond, fair*
birra *beer*
biscotto *biscuit*
bisogno *need*
blusa *blouse*
bocca *mouth*
borsa *bag*
borsetta *handbag*
bottega *shop*
bottiglia *bottle*
bottone (*m.*) *button*

braccio (*m.*) *arm*
  (*irr. f. pl.* – le braccia)
bravo *clever*
  bravo! *well done!*
breve *short, brief*
brocca *jug*
bruno *dark*
brutto *ugly*
buccia *peel, rind*
buio *dark*
buono *good*
burro *butter*
bussare *to knock*
busta *envelope*

c

cadere *to fall*
caduto *fallen*
caffè *coffee*
caffè espresso *black coffee made
  specially*
calciatore (*m.*) *footballer*
calcio *football* (the game)
caldo (*n.*) *heat*
caldo (*adj.*) *hot*
calza *stocking*
cambiare *to change*
camera (da letto) *bedroom*
cameriera *maid, waitress*
cameriere (*m.*) *waiter*
camicia *shirt*
camicia da notte *night dress*
camminare *to walk*
campana *bell* (of church etc.)
campanello *door-bell, small bell*
campo *field*
candela *candle*
cane (*m.*) *dog*
cantare *to sing*
cantina *cellar*
canzone (*f.*) *song*
capello *hair* (single hair)
  (i capelli *the hair*)
capire *to understand*
capitano *captain*
Capodanno *New Year*

capo-ufficio *chief clerk*
cappellino *small hat, lady's hat*
cappello *hat*
cappotto *overcoat*
cappuccino *espresso with milk*
caramella *sweet, caramel*
caricare *to load, to wind*
carico *laden, loaded*
caro *dear, expensive*
carta *paper*
carta geografica *map*
cartolina *postcard*
cartoncino *greetings card*
casa *house, home*
casseruola *casserole, saucepan*
cassetto *drawer*
cassettone (*m.*) *chest of drawers*
cassiere (*m.*) *cashier*
castello *castle*
catena *chain*
cattedrale (*f.*) *cathedral*
cattivo *naughty, bad, wicked*
c'è *there is*
cena *supper*
centinaio *hundred*
  (*irr. f. pl.* – le centinaia)
cento *hundred*
centrale *central*
centro *centre*
cerca *search*
cercare *to search, to seek, to try,
  to look for*
certamente *certainly*
cervello *brain*
cessare *to cease, to stop*
che *who, which, that, what*
  che? *what?*
  che cosa? *what?*
chi *who, whom, the one who*
chiacchierare *to chatter, to gossip*
chiamare *to call*
chiaro *light, clear*
chiedere *to ask, to ask for*
chiesa *church*
chiudere *to close, to shut*
chiudere a chiave *to lock*

chiave (*f.*) *key*
ci *there, us, to us*
ci sono *there are*
ciao! *hello! cheerio!*
cibo *food*
cielo *sky*
cinema (*m.*) *cinema*
cima *summit, top*
cinquanta *fifty*
cinque *five*
cintura *belt*
cioccolata *chocolate* (as a class)
cioccolatino *chocolate* (individual)
cipolla *onion*
cipria *face powder*
circa *about*
circolazione *traffic*
circondato *surrounded*
città *town, city*
classe (*f.*) *class*
cliente (*m. & f.*) *client, customer*
clima (*m.*) *climate*
cognac (*m.*) *cognac, brandy*
cognome (*m.*) *surname*
colazione (*f.*) *breakfast, lunch*
colonna *column*
colorato *coloured*
colore (*m.*) *colour*
color vino *wine colour, maroon*
colpa *fault, blame*
coltello *knife*
combinazione (*f.*) *coincidence*
come *how, as, like*
come mai? *how is it?*
cominciare *to commence*
commerciale *commercial*
commerciante (*m.*) *merchant, trader*
commercio *commerce*
commesso (-a) *shop assistant*
comodo *comfortable*
compagno *companion*
comparire *to appear*
compleanno *birthday*
  buon compleanno! *happy birthday!*

completo *complete*
complicato *complicated*
complimento *compliment*
comprare *to buy*
comprendere *to include, to comprehend*
con *with*
conoscente (*m. & f.*) *acquaintance*
conoscere *to know*
consegnare *to deliver, to consign*
consiglio *advice*
contento *happy, content*
continuare *to continue*
conto *bill*
convenire *to suit*
conversazione (*f.*) *conversation*
coperchio *lid*
coperta *blanket, quilt*
coperto *covered*
coraggio *courage*
cordiale *cordial, warm*
correntemente *fluently*
correre *to run*
cosa *thing*
  cosa? *what?*
così *thus, so*
costare *to cost*
costume da bagno *bathing suit*
cotone (*m.*) *cotton*
credenza *sideboard*
credere *to believe*
crudo *raw, uncooked*
cucchiaino *teaspoon, coffee spoon*
cucchiaio *spoon*
cucina *kitchen, cookery*
cugino (-a) *cousin*
cuoio *hide, leather*
cuore (*n.*) *heart*
cuscino *cushion, pillow*

d

da *from, by, for the purpose of*
dà *gives, is giving*
dappertutto *everywhere*
dare *to give*
dattilografo (-a) *typist*

davanti a *in front of*
debole *weak*
decidere *to decide*
decorare *to decorate*
del, dello, della, dei, degli, delle *of
the, some*
denaro *money*
dentifricio *toothpaste*
dentro *inside*
desiderare *to wish, to wish for, to
desire, to want*
desiderio *wish, desire*
destra *right*
 a destra *to the right*
di *of*
dicembre (*m.*) *December*
dieci *ten*
dietro *behind*
difficile *difficult*
diligente *diligent, hard-working*
dimenticare *to forget*
dipendere *to depend*
dipinto *painted*
dire *to say, to tell*
direttore (*m.*) *director, manager*
diritto *straight*
dirimpetto *opposite*
discutere *to discuss, to argue*
disegno *design, drawing*
dispensa *pantry*
disponibile *spare, free, available*
distanza *distance*
ditta *firm*
divano *divan*
diverso *different*
divertimento *enjoyment, amuse-
ment*
documento *document*
dogana *customs* (at frontier)
dolce (*adj.*) *sweet*
dolce (*n. m.*) *sweet, dessert*
domanda *question*
domandare *to ask, to ask for, to
demand*
domani *tomorrow*
domenica *Sunday*

donna *woman*
dopo *after, afterwards*
doppio *double*
dorato *golden*
dormire *to sleep*
dove *where*
dovere *to have to, to owe, to be
obliged to*
dozzina *dozen*
dubbio *doubt*
due *two*
dunque *then, well then*
duomo *cathedral*
durante *during*

e

e *and*
è *is*
eccitato *excited*
ecco *here is, here are, there is,
there are, look!*
edificio *building*
egli *he*
elettricità *electricity*
elettrico *electric*
ella *she*
enorme *enormous*
entrare *to enter*
entrata *entrance*
erba *grass*
eroina *heroine*
essa (*f.*) *it*
esse (*f.*) *they, them*
essere *to be*
essi (*m.*) *they, them*
esso (*m.*) *it*
est (*m.*) *East*
estate (*f.*) *summer*
estero *abroad*
età *age*

f

fa *ago*
fabbrica *factory*
fabbricante (*m. & f.*) *manufacturer*

faccia *face*
facile *easy*
facilmente *easily*
famiglia *family*
famoso *famous*
fare *to make, to do*
fare a meno di *to do without, to manage without*
farina *flour*
fare caso a *to attach importance to*
fascio *bunch*
fastidio *trouble, annoyance*
fatto *made, done*
favore (*m.*) *favour, kindness*
per favore *please*
fazzoletto *handkerchief*
febbraio *February*
felice *happy*
fertile *fertile*
festa *party, festival, holiday*
festeggiare *to celebrate*
fetta *slice*
fiammifero *match* (for striking)
fiancheggiare *to flank*
fiasco *bottle* (for wine)
fico *fig*
fidanzato (-a) *fiancé (-ée)*
figlia *daughter*
figlio *son*
film (*m.*) *film*
filtro *filter*
finalmente *finally, at last*
fine (*f.*) *end*
fine (*adj.*) *delicate, fine*
finesettimana (*f.*) *week-end*
finestra *window*
finire *to finish*
finito *finished*
fino a *until, as far as*
fiore (*m.*) *flower*
fischio *whistle*
fisso *fixed*
fitto *thick, dense*
fontana *fountain*
forchetta *fork*
formaggio *cheese*

formare *to form*
fornello *oven*
forse *perhaps*
forte *strong, loud*
fortunato *fortunate, lucky*
fotografia *photograph*
fra *between, among, within*
Francese (*n., m. & f.*) *Frenchman, French woman*
francese (*adj.*) *French*
francobollo *postage stamp*
frase (*f.*) *sentence, phrase*
fratello *brother*
freddo (*n.*) *coldness*
freddo (*adj.*) *cold*
frequentare *to attend*
fresco *fresh, cool*
fretta *haste*
fronte (*f.*) *forehead*
frumento *wheat*
frutta *fruit*
fumare *to smoke*
fuoco *fire*
fuori *outside*

g

galleria *gallery, arcade, tunnel*
gallo *cock*
garage *garage*
gas (*m.*) *gas*
gatto *cat*
gelare *to freeze*
gelato *ice-cream*
gelso *mulberry tree*
genitore (*m. & f.*) *parent*
gennaio *January*
gente (*f.s.*) *people*
gentile *kind*
gentilezza *kindness*
gettare *to throw*
ghiacciato *iced*
ghiaccio *ice*
ghirlanda *garland*
già *already*
Già! *Indeed! Quite so!*

giallo *yellow*
giardino *garden*
giocatore (*m.*) *player*
gioco *game*
giornale (*m.*) *newspaper*
giornata *day*
giorno *day*
giovane *young*
giovanotto (-a) *youth*
giovedì (*m.*) *Thursday*
gita *trip, excursion*
giugno *June*
giusto *right, just*
gli *to him* (see also Def. Article)
goccia *drop*
gol (*m.*) *goal*
gonna *skirt*
grammatica *grammar*
grande *big*
granturco *maize, Indian corn*
grasso *fat*
grattugiato *grated*
grave *serious, grave*
grazie (*f.pl.*) *thanks, thank you!*
gridare *to shout*
grigio *grey*
grosso *big*
gruppo *group*
guardare *to look, to look at*
guglia *spire*

i

i *the* (see Def. Article)
idea *idea*
il *the* (see Def. Article)
illuminato *illuminated, lit up*
illustrato *illustrated*
imparare *to learn*
impazienza *impatience*
impiegare *to employ*
impiegato (-a) *employee, clerk*
importante *important*
istante (*m.*) *instant*
in *in, into*
incontrare *to meet*
incontro *match* (sport etc.)

indietro *back, backwards*
indossare *to put on, to wear*
industria *industry*
industriale *industrial*
infatti *in fact*
infine *finally, at last*
Inghilterra *England*
Inglese (*n. m. & f.*) *Englishman,
  -woman*
inglese (*adj.*) *English*
ingrato *ungrateful*
innamorato *in love*
innanzi *before*
innanzi tutto *first of all*
inoltre *besides, moreover*
insegnare *to teach*
insieme *together*
interessante *interesting*
interno *interior, inside*
inutile *useless*
invece *instead*
invece di *instead of*
inverno *winter*
inviare *to send*
invitare *to invite*
invitato *guest*
invito *invitation*
io *I*
instante (*m.*) *instant*
Italiano (-a) (*n.*) *Italian*
italiano (*adj.*) *Italian*

l

la *the* (see Def. Article)
la *her, it*
La *you*
là *there*
al di là *at the other side of, beyond*
lampada *lamp*
lampeggiare *to lighten*
lana *wool*
lanterna *lantern*
largo *wide*
lasciare *to allow, to leave (behind)*
lato *side*
lattaio *milkman*

latte (*m.*)   *milk*
lavare   *to wash*
lavare i piatti   *to wash up*
lavorare   *to work*
lavoro   *work*
le   *the* (see Def. Article)
le   *them, to her*
Le   *you* (*pl.*), *to you* (*s.*)
leggere   *to read*
legna   *firewood*
legno   *wood*
Lei   *you* (*s.*)
lei   *she, her*
lentamente   *slowly*
lento   *slow*
lettera   *letter*
letto   *bed*
levare   *to lift, to raise*
lezione (*f.*)   *lesson*
Li   *you* (*pl.*)
li   *them*
lì   *there*
libero   *free*
lieto   *happy, pleased*
limonata   *lemonade*
linea   *line*
lingua   *language, tongue*
lino   *linen*
liquore (*m.*)   *liqueur*
lira   *lira*
lista   *list*
lo   *the* (see Def. Article)
lo   *him, it*
Londra   *London*
lontano   *far, distant*
Loro   *you, to you* (*pl.*)
loro   *they, them, to them*
loro   *their, your*
luce (*f.*)   *light*
lucido   *polished, smooth*
luglio   *July*
lui   *he, him*
luna   *moon*
lunedì (*m.*)   *Monday*
lungo   *long, along*
luogo   *place*

m

ma   *but*
macchina   *car, machine*
macchina fotografica   *camera*
macchinario   *machinery*
madre (*f.*)   *mother*
maestoso   *majestic*
magazzino   *warehouse, large shop*
maggio   *May*
maggiore   *greater, major, elder*
magnifico   *magnificent*
mai   *ever, never*
malattia   *illness*
mamma   *mother, mummy*
mancanza   *lack, shortage*
mancia   *tip, gratuity*
mangiare   *to eat*
manifesto   *leaflet*
mano (*f.*)   *hand*
   (*irr. pl.* – le mani)
mantenere   *to maintain*
marciapiede (*m.*)   *pavement*
marito   *husband*
marmellata   *jam, marmalade*
marmo   *marble*
marrone   *brown*
martedì   *Tuesday*
marzo   *March*
materasso   *mattress*
mattina   *morning*
mattonella   *floor tile*
maturo   *ripe, mature*
medicina   *medicine*
medico   *doctor*
mela   *apple*
membro   *member*
menare   *to lead*
meno   *less, minus*
meno di   *less than*
mentre   *while, whilst*
menu (*m.*)   *menu*
meraviglioso   *marvellous*
mercato   *market*
   a buon mercato   *cheap*
merce (*f.*)   *goods*
mercoledì (*m.*)   *Wednesday*

merito *worth*
  in merito a *with regard to*
mese (*m.*) *month*
mestiere (*m.*) *trade, profession*
metro *metre*
mettere *to put, to put on*
mezzo *half*
mezzo *middle*
  in mezzo a *in the middle of*
mezzanotte (*f.*) *midnight*
mezzogiorno (*m.*) *midday, noon*
mi *me, to me*
mi scusi *excuse me*
mia, mio, mie, miei *my*
migliaio (*m.*) *thousand*
  (*irr.f.pl.* – migliaia)
miglio (*m.*) *mile*
  (*irr.f.pl.* – miglia)
mille (*m.*) *thousand*
  (*irr.f.pl.* – mila)
minuto *minute*
mite *mild*
mobilia *furniture*
moda *fashion*
modello *model*
moderno *modern*
modo *way, manner*
moglie (*f.*) *wife*
molto *very, much, a lot, a lot of*
momento *moment*
  in quel momento *at that moment*
  Momento! *Just a moment!*
montagna *mountain*
monumento *monument*
morbido *soft*
muro *wall*
museo *museum*
musica *music*
musica da ballo *dance music*

n

nailon (*m.*) *nylon*
napoletano *Neapolitan*
nascere *to be born*
nascondere *to hide*
naso *nose*

Natale (*m.*) *Christmas*
natalizio (*adj.*) *Christmas*
naturalmente *naturally*
ne *of it, of them, some, some of it, some of them, any, about it, about them*
nè *neither*
nè ... nè *neither ... nor*
nebbia *fog*
necessario *necessary*
negozio *shop*
nero *black*
nessuno *none, no one*
neve (*f.*) *snow*
nevicare *to snow*
niente *nothing*
  non fa niente *it doesn't matter*
no *no*
noi *we*
non *not*
nord (*m.*) *North*
nostra, nostro, nostre, nostri *our*
nome (*m.*) *name*
notizia *news item*
notizie (*f.pl.*) *news*
notte (*f.*) *night*
novanta *ninety*
nove *nine*
novembre (*m.*) *November*
nulla *nothing*
numero *number*
nuovo *new*
  di nuovo *again*

o

o *or*
o ... o *either ... or*
occhiali (*m.pl.*) *spectacles*
occhiata *glance*
occhio (*pl.* occhi) *eye*
occorre *it is necessary to*
  occorrente *necessary ingredients*
occupato *occupied*
odore (*m.*) *smell, odour*
oggi *today*
ogni *each, every*

ognuno *each one, everyone*
olio *oil*
oliva *olive*
ombrello *umbrella*
ombrellone (*m.*) *sunshade*
opera *opera*
operaio *workman*
operato *operated*
opinione (*f.*) *opinion*
opuscolo *brochure*
ora (*n.*) *time, hour*
  di buon' ora *early*
ora (*adv.*) *now*
orchestra *orchestra*
ordine (*m.*) *order*
ormai *by now, by then*
oro *gold*
orologio *watch, clock*
orologio da polso *wrist-watch*
osare *to dare*
osservare *to observe, to watch*
osso buco *marrow bone*
ottanta *eighty*
ottenere *to obtain*
ottima *excellent, very good*
otto *eight*
ottobre (*m.*) *October*
ovest (*m.*) *West*

p
pacchetto *packet*
pacco *parcel*
pace (*f.*) *peace*
padre (*m.*) *father*
padrone (*m.*) *owner, proprietor*
paese (*m.*) *country, land, village*
pagina *page*
paio *pair*
palcoscenico *stage*
palla *ball*
pallone (*m.*) *football* (actual ball)
palloncino *balloon*
pane (*m.*) *bread*
panino *bread roll*
pantofola *slipper*
paralume (*m.*) *lampshade*

parcheggiare *to park*
parco *park*
parecchi(ie) *several*
parente (*m. & f.*) *relative*
parete (*f.*) *interior wall*
parlare *to speak, to talk*
parmigiano *Parmesan*
parola *word*
parte (*f.*) *part*
particolarmente *particularly*
passaporto *passport*
passare *to pass, to pass by*
passo *footstep*
  a pochi passi *a few steps away*
  fare quattro passi *to go for a
    short walk*
patata *potato*
patatina *small potato*
pavimento *floor*
peccato *pity, sin*
pelle (*f.*) *skin, soft leather*
pellicola *film* (for camera)
penna *pen*
penna a sfera *ball point pen*
penna stilografica *fountain pen*
pensare *to think*
pensione (*f.*) *pensione, private hotel*
pepe (*m.*) *pepper*
per *for*
per piacere *please*
pera *pear*
perchè? *why?*
perchè *because*
pericolo *danger*
periferia *outskirts*
periodo *period*
permanenza *stay, permanence*
Permesso! *May I? Excuse me.*
però *however*
persona (*f.*) *person*
personale (*nm.*) *staff, personnel*
personale (*adj.*) *personal*
persuadere *to persuade*
pesante *heavy*
pesca *peach*
pesce (*m.*) *fish*

pettine (*m.*)   *comb*
pettirosso   *robin*
pezzo   *piece*
piacere   *to please, to give pleasure*
piacere (*n.m.*)   *pleasure*
   per piacere!   *please!*
piacevole   *pleasing, pleasant*
piano   *storey*
piano superiore   *top floor*
pian terreno   *ground floor*
pianta   *plan, plant*
piangere   *to weep*
piattino   *small plate, saucer*
piatto   *dish, plate, course*
piazza (*n.*)   *square* (in town etc.)
piccolo   *small, little*
pieno   *full*
pieno zeppo   *chock full*
pietra   *stone*
pigiama   *a pair of pyjamas*
pioggia (*n.*)   *rain*
piovere   *to rain*
pipa   *pipe*
più   *more, most, plus*
più di   *more than*
piuttosto   *rather*
pizzico   *pinch* (salt, etc.)
poco   *little, not much*
   un poco, un po'   *a little*
poi   *then, next, afterwards*
polizia (*f.*)   *police*
poliziotto   *policeman*
pollo   *chicken*
poltrona   *armchair*
pomeriggio   *afternoon*
pomodoro   *tomato*
popolare   *popular*
porcellana   *porcelain, china*
porta   *door*
portare   *to carry, to wear, to bear,*
   to lead
portacipria (*m.*)   *powder compact*
portafoglio (*m.*)   *wallet*
postino   *postman*
posto   *place, seat, room, space*
potere   *to be able to*

pranzare   *to dine, to have dinner*
praticare   *to practise*
precisamente   *precisely, exactly*
prediletto   *favourite*
preferire   *to prefer*
preferito   *favourite, preferred*
pregare   *to beg*
prego!   *please! you are welcome!*
preludio   *overture, prelude*
prendere   *to take, to catch*
prenotare   *to book* (seats etc.)
preoccupato   *preoccupied, worried*
preparare   *to prepare*
preparativo   *preparation*
presentare   *to present, to introduce*
presto   *soon, early*
prima, prima di   *before*
primavera   *spring*
primo (*adj.*)   *first, prime*
principale   *principal, main*
professore (*m.*)   *professor, teacher*
profumo   *perfume*
progetto   *plan, project*
proibito   *prohibited*
programma (*m.*)   *programme*
pronto   *ready*
Pronto!   *Hello!* (on telephone)
proprietario (a)   *proprietor*
proprio (*adv.*)   *really, quite*
proprio (*adj.*)   *own, proper*
prossimo   *next*
prova   *proof*
pubblico   *public, audience*
pulire   *to clean*
pulito   *clean*
punto   *point, fullstop*
puro   *pure*

q
qua   *here*
quadro   *picture*
qualche   *some, any, a few, one or*
   two
qualcuno   *someone, anyone*
quale   *which*
quale?   *which?*

quando *when*
quantità *quantity*
quanto *how*
quanto? *how much?*
quaranta *forty*
quartiere (*m.*) *district, quarter*
quasi *almost*
quattro *four*
quello *that*
questo *this*
qui *here*
quindi *hence, therefore*

r

raccomandato *registered*
raccontare *to relate, to tell* (a story etc.)
radio (*f.*) *radio*
raffreddore (*m.*) *cold, chill*
ragazza *girl*
ragazzo *boy*
ramo *branch, bough*
rapidamente *rapidly*
re (*m.*) *king*
recitare *to recite, to act*
regalo *gift, present*
regina *queen*
regola *rule*
restare *to stay*
ricamato *embroidered*
ricetta *recipe, prescription*
ricevimento *party, reception*
ricevuta *receipt*
ricordare *to remember*
ricordo *souvenir*
ridere *to laugh*
riempire *to fill*
rimanere *to remain*
rincasare *to return home*
ringraziare *to thank*
riposo *rest, repose*
riscaldamento *heating*
riscaldamento centrale *central heating*
riscaldare *to heat, to warm*
riservato *reserved*

riso *rice*
risparmiare *to save*
rispondere *to reply, to respond*
risposta *reply, answer*
ristorante (*m.*) *restaurant*
ritardo *delay, lateness*
  in ritardo *late*
ritenere *to retain*
ritornare *to go back again, to come back again*
riunione (*f.*) *meeting, reunion*
riuscire *to succeed*
rivedere *to see again*
robusto *robust, sturdy*
rosa (*n.*) *rose*
rosa (*adj.*) *pink*
rossetto *lipstick*
rosso *red*
rumore (*m.*) *noise, sound*

s

sabato (*m.*) *Saturday*
sabbia *sand*
sacco *sack*
sala *hall, room, auditorium*
sala da pranzo *dining room*
salame (*m.*) *salame, spiced sausage*
sale (*m.*) *salt*
salire *to ascend, to get up, to go up*
salutare *to greet, to take leave of*
salute (*f.*) *health*
saluto *greeting*
San Giorgio *St. George*
sapere *to know, to know how to*
saponetta *tablet of soap*
saporito *piquant, flavoured*
scala, scalinata *stairs, staircase*
scapolo *bachelor*
scappare *to flee, to run off*
scarpa *shoe*
scatola *box*
scatoletta *small box*
scelta *choice*
scena *scene*
scendere *to descend, to get down*
scherzare *to joke, to tease*

schiaffo *slap*
scialle *(m.)* *shawl*
sciocchezze *(f.pl.)* *nonsense*
scomodare *to disturb*
scorso *past, last*
Scozia *Scotland*
scrivania *writing desk*
scrivere *to write*
scuola *school*
secondo *(n.)* *second*
secondo *(adj.)* *second*
secondo a *according to, in the opinion of*
sedia *chair*
seduto *seated, sitting*
segnare *to score, to mark*
segretario (-a) *secretary*
seguente *following*
seguire *to follow*
sei *six*
sembrare *to seem, to appear*
semplice *simple, plain*
sempre *always*
sentire *to feel, to hear*
senza *without*
sera *evening*
serale *(adj.)* *evening*
serata *(n.)* *evening*
sereno *serene*
sessanta *sixty*
seta *silk*
sete *(f.)* *thirst*
settanta *seventy*
sette *seven*
settembre *September*
settimana *week*
sfortunato *unlucky, unfortunate*
sì *yes*
siccome *as, since*
Sicilia *Sicily*
sicuro *sure, certain*
sigaretta *cigarette*
signora *married lady, Mrs.*
signore *gentleman, sir, Mr.*
signorina *unmarried lady, Miss*
silenzio *silence*

simpatico *nice (of disposition)*
sinceramente *sincerely*
sincero *sincere*
sinistra *left*
a sinistra *to the left*
situato *situated*
smalto *enamel*
smorfia *grimace, wry face*
soffitto *ceiling*
soldato *soldier*
soldi *(n.m.pl.)* *money*
sole *(m.)* *sun, sunshine*
solito *usual*
di solito *usually*
sollevare *to lift, to raise*
soltanto, solo *only*
somma *sum*
sopra *above, over*
di sopra *upstairs*
sopra tutto *above all, especially*
sorella *sister*
sostenere *to sustain*
sotto *under, underneath, below*
spaghetti *(m.pl.)* *spaghetti*
spalla *shoulder*
spazzolino da denti *tooth brush*
specchio *mirror*
speciale *special*
specialmente *specially*
spedire *to despatch, to send*
spendere *to spend*
sperare *to hope*
spesa *shopping*
fare delle spese *to go shopping*
spesso *often*
spettatore *(m.)* *spectator*
spiaggia *beach*
spicchio *segment, portion, clove (of garlic)*
sport *(m.)* *sport*
sposato *married*
spumante *(m.)* *spumante, sparkling wine*
squadra *team, squad*
squillare *to ring, to squeal*
stabilimento *works, establishment*

stadio *stadium*
stagione (*f.*) *season*
stamane, stamani *this morning*
stanco *tired*
stanotte *tonight, last night*
stanza *room*
stanza da bagno *bathroom*
stare *to stay, to be, to remain*
stare per *to be about to, to be on the point of*
stasera *this evening*
statua *statue*
stazione (*f.*) *station*
stazione ferroviaria *railway station*
stella *star*
stendere *to spread*
sterlina *pound* (money)
stesso *same, self*
storia *story, history*
strada *road, street*
straniero (*n.*) *foreigner*
straniero (*adj.*) *foreign*
stretto *narrow, tight*
stringere *to hold tightly, to squeeze*
strofinaccio *duster*
studente (*m.*) *student*
studentessa (*f.*) *student*
studio *study, studio*
su *up, upon, on*
    Su! *Come along!*
sua, Sua *his, her, its, your*
subito *at once, immediately*
succedere *to happen*
sud (*m.*) *south*
sue, suo, suoi *his, her, its, your*
sugo *juice, gravy*
suonare *to play* (instrument), *to ring* (bell etc.)
sveglia *alarm clock*

t

tacco *heel* (of shoe)
tagliare *to cut*
tanto *much, so much, so*
tappeto *carpet*
tardi *late*

tasca *pocket*
tassì (*m.*) *taxi*
tavola *table*
tavolino *small table*
tazza *cup*
tè (*m.*) *tea*
teatro *theatre*
Tedesco (-a) (*n.*) *German*
tedesco (*adj.*) *German*
telefonare *to telephone*
telefono *telephone*
telegramma (*m.*) *telegram*
televisione (*f.*) *television*
televisore (*m.*) *television set*
temperatura *temperature*
tempo *time, weather*
temporale (*m.*) *storm*
tenda, tendina *curtain*
tenere *to hold, to keep*
tenere conto di *to take account of*
terribile *terrible*
terzo *third*
tessuto *cloth, fabric*
tetto *roof*
ti *you, to you*
tifoso *fan* (sport etc.)
timido *shy, timid*
tipo *type, kind* —
tirare *to draw, to pull*
tirare vento *to be windy*
tocco *touch*
toletta *dressing table*
tomba *tomb*
tornare *to return*
torta *cake*
tovaglia *table cloth*
tovagliolo *napkin*
tradizione (*f.*) *tradition*
tranne *except*
tranquillo *peaceful, tranquil*
trasportare *to transport*
trattare (di) *to deal* (with)
tre *three*
treno *train*
trenta *thirty*

tronco *trunk* (of tree)
troppo *too, too much*
trovare *to find*
tu *you*
tua, tue, tuo tuoi *your*
tuonare *to thunder*
turista (*m. & f.*) *tourist*
tutti, tutte *all, everyone*
tutti (-e) e due *both*
tutto *all*

u

ubriaco *drunk*
uccello *bird*
ufficio *office*
ufficio postale *Post Office*
ultimo *last*
umido *wet, damp*
umoristico *humorous*
un, una, uno *a, an*
unghia *nail* (on finger)
università *university*
uno *one*
uomo *man*
   (*irr.pl.* – uòmini)
uovo (*m.*) *egg*
   (*irr.f.pl.* – le uova)
usanza *custom*
uscire *to go out*
uscita *exit*

v

vacanza *holiday*
valigia *suitcase*
vapore (*m.*) *steam, vapour*
vaso *vase*
vecchio *old*
vedere *to see*
velocità *velocity*

vendere *to sell*
venerdì (*m.*) *Friday*
venire *to come*
venti *twenty*
verde *green*
vergine (*f.*) *virgin*
verità *truth*
vermut (*m.*) *vermouth*
vero *true*
verso *towards*
vestiti (*m.pl.*) *clothes*
vetrina *shop window*
vi *you, to you*
vi *there*
via *street, way*
viaggiare *to travel*
viaggio *journey, voyage*
viale (*m.*) *avenue*
vicino (a) *near* (*to*)
victato *forbidden*
vigilia *eve*
vincere *to win*
vita *life*
vitello *calf*
vivere *to live*
voce (*f.*) *voice*
voi *you*
volare *to fly*
volere *to want*
volta *time, occasion, turn*
vostra, vostre, vostro, vostri *your*

z

zero *zero, nought*
zia *aunt*
zio *uncle*
zona *zone*
zucchero *sugar*
zucchino *zucchino* (similar to a
   tiny marrow)